El Acantilado, 525

LA DEBILIDAD
DE LO VERDADERO

MYRIAM REVAULT D'ALLONNES

LA DEBILIDAD DE LO VERDADERO

LOS EFECTOS DE LA POSTVERDAD EN NUESTRO MUNDO COMÚN

TRADUCCIÓN DEL FRANCÉS
DE FRANCISCO LÓPEZ MARTÍN

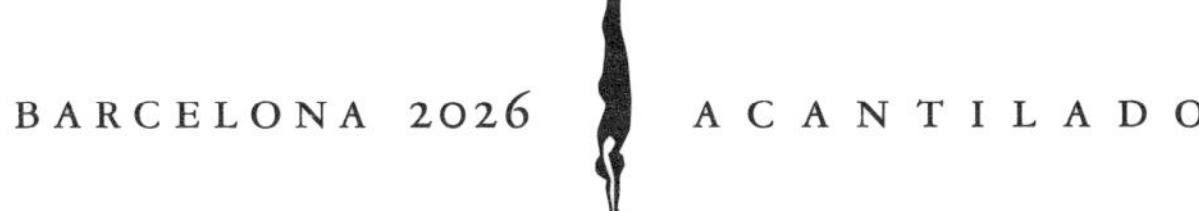
BARCELONA 2026 ACANTILADO

TÍTULO ORIGINAL *La Faiblesse du vrai*

Publicado por
ACANTILADO
Quaderns Crema, S. A.

Muntaner, 462 - 08006 Barcelona
Tel. 934 144 906
correo@acantilado.es
www.acantilado.es

En la cubierta, exlibris de Dagmar Nováček (1932)

ISBN: 979-13-87964-25-2
DEPÓSITO LEGAL: B. 9346-2026

AIGUADEVIDRE *Gráfica*
QUADERNS CREMA *Composición*
ROMANYÀ-VALLS *Impresión y encuadernación*

PRIMERA EDICIÓN *mayo de 2026*

CONTENIDO

Es difícil decir la verdad porque, aunque sólo hay una, está viva y por lo tanto tiene una cara vivaz y cambiante.

FRANZ KAFKA,
Cartas a Milena
[trad. Carmen Gauger]

INTRODUCCIÓN

En la actualidad, a fuerza de ver surgir conceptos que, en cuanto aparecen, dejan obsoleto lo que un día antes parecía una norma inamovible, el propio presente se vuelve inoperante, inhibe toda acción. Ocurre entonces que o bien, víctimas del vértigo, nos limitamos a certificar día tras día la acumulación de datos insignificantes, como los cronistas de los diarios; o bien la inclinación filosófica, que consiste en asombrarse ante lo que existe—como sabemos desde los griegos—, nos lleva a indagar el sentido o el sinsentido de lo que destaca en el escenario mundial. Desde luego, no se trata de una exigencia nueva: «Pensar lo que nos pasa» era la consigna de Hannah Arendt. También Merleau-Ponty señalaba que los acontecimientos nos confrontan con lo inaceptable, y esta «experiencia interpretada» se convierte en tesis y filosofía. Pero en el caso de ambos autores la constante exigencia de confrontar lo real era inseparable de una inmersión en la tragedia de la historia: las experiencias totalitarias, el fracaso del comunismo, el sinsentido sobre el que se perfila toda voluntad de absolutización y universalización del sentido.

Hoy, sin embargo, parece que la exigencia ha sufrido una inversión: ¿merece la pena pensar lo que nos pasa? La experiencia de lo insignificante nos lleva a desconfiar de lo que se presenta como un acontecimiento de pensamiento dotado de auténtico poder de conmoción. Ahora nos enfrentamos a la «postverdad», noción que ha invadido la escena política y mediática hasta tal punto que el respetado diccionario Oxford la proclamó «palabra del año» en 2016.

En apariencia, la idea de que nos encontramos en un momento, o incluso en una época, que se halla «después» de la verdad constituye una ruptura significativa con una noción fundamental para la metafísica occidental y sobre la que también descansa, para el sentido común, la evidencia de lo real: se dice que una proposición es «verdadera» cuando puede probarse su conformidad con lo que es. La preocupación por la verdad se ha expresado de formas muy diversas, antagónicas y más o menos eruditas, en campos muy variados, pero la pluralidad de enfoques nunca nos ha llevado a cuestionar el carácter «vital» de la referencia a lo verdadero.

Cuando los tres grandes pensadores de la sospecha, Nietzsche, Marx y Freud, cuestionaron frontalmente el valor y el poder de la verdad sin duda se propusieron derribar las grandes problemáticas clásicas que sostenían la verdad inquebrantable del sujeto como fundamento, como conciencia transparente para sí misma e inmune a toda percepción ilusoria del mundo. Pero estos desafíos radicales a la «falsa conciencia» no abolieron el valor de la verdad: sólo atacaron las ilusiones para descifrar lo que encubrían. Por supuesto, desenmascararon la «verdad como mentira», pero destruyeron para reconstruir. No sólo porque abrieron el horizonte a una nueva comprensión de la verdad, sino porque inventaron un arte de interpretar y acceder al sentido.[1] La fórmula de Nietzsche «No hay hechos,

[1] Sobre este ejercicio de sospecha, véase Paul Ricœur, *De l'interprétation*, París, Seuil, 1965, pp. 40-44, y *Le Conflit des interprétations*, París, Seuil, 1969, pp. 148-151. [Existe traducción en español de ambas obras: *Freud: una interpretación de la cultura*, trad. Armando Suárez, Miguel Olivera y Esteban Inciarte, Ciudad de México, Siglo XXI,

sólo interpretaciones», no suprime ni disuelve la verdad: afirma que nada significan los hechos en bruto, que es preciso ordenarlos, y sólo tienen sentido si los desciframos e interpretamos. Dicho de otro modo: el ejercicio de la sospecha se proponía desenmascarar las falsificaciones de la verdad en nombre del poder de lo verdadero.

No puede decirse lo mismo de la «postverdad», según la cual—por citar el diccionario Oxford—los hechos objetivos son menos importantes que su percepción subjetiva. Así pues, la capacidad del discurso político para moldear la opinión pública apelando a las emociones prevalece sobre la realidad de los hechos. Poco importa que éstos informen o no a la opinión pública: lo que cuenta es el impacto del mensaje. Por lo tanto, la diferencia entre verdad y mentira se vuelve insignificante en relación con la capacidad de «hacer creer». La era de la postverdad es también la era de lo postfactual.

Mucho se ha dicho ya sobre esta «política de la postverdad» que irrumpió en el vocabulario cotidiano con el Brexit y la primera elección de Donald Trump como presidente de Estados Unidos, y en particular sobre la forma en que está vinculada a la construcción y difusión viral de *fake news* a través de los nuevos medios de comunicación (internet, redes sociales, etcétera).

El propósito de este libro es otro. Para empezar, lo que se impone es una lectura sintomática. Lejos de ser un fenómeno aislado, el concepto de «postverdad» forma parte de una constelación en la que se ha generalizado el uso del prefijo *post*: postmodernidad, postpolítica, postdemocracia, postcapitalismo, etcétera. Por lo tanto, en primer lu-

1990; *El conflicto de las interpretaciones*, trad. Alejandrina Falcón, Buenos Aires, La Aurora, 1976].

gar hay que preguntarse por el alcance del prefijo, que no indica simplemente la idea de una sucesión temporal (algo que viene después de lo que ha ocurrido antes), sino que pretende señalar una ruptura cualitativa, que, como la noción inaugural de «postmodernidad», sugiere el surgimiento de una nueva era, un nuevo régimen de historicidad. Sin embargo, la proliferación del prefijo es también un signo de la dificultad para situar el presente en que vivimos, para nombrarlo en su singularidad, el indicio de una crisis cuya denominación o manifestación léxica es ese *post*.

En la medida en que la postverdad ha pasado a primer plano en virtud de los dos acontecimientos políticos mencionados, y puesto que se habla de «política de la postverdad» o «política postfactual», cabe preguntarse de inmediato si tales términos no están resucitando de manera oblicua un conflicto ancestral, si no estamos ante el nuevo avatar de un antagonismo supuestamente irreductible: la verdad y la política, como sabemos, nunca se han llevado bien. No sólo porque comúnmente se acepta que el ejercicio del poder requiere la práctica de la mentira y la manipulación (a ello alude el término *maquiavelismo*), sino también porque solemos sospechar que la búsqueda de la verdad es incompatible con el ejercicio cotidiano de la política. Así lo acredita la versión platónica de la condena a muerte que impuso a Sócrates la ciudad democrática, abandonada al poder de un *démos* ignorante e incontrolable. De ahí la tentación recurrente de confiar la tarea de gobernar a los que «saben»: desde el filósofo rey platónico, pasando por Saint-Simon (la administración de las cosas es menos peligrosa que el gobierno de los hombres), hasta llegar a la inclinación «epistemocrática» o «epistocrática» que prevalece hoy bajo la égida de la racionalidad económica. Cabe pensar que la aparición de la postverdad no es ajena al auge de los populismos, que juegan con el resentimiento contra el poder de las elites (los que «saben»). A su vez, como el pueblo no está suficientemente ilustrado para tomar decisiones racionales, surge la tentación de confiar en la competencia de los expertos...

Pero por muy preciso que sea este análisis circunstancial, sigue sin tocar la raíz del problema. La cuestión es más bien: *¿qué daña la postverdad?* Ésta es la perspectiva que el presente libro trata de explorar. Para ello, en primer lugar se expondrá una genealogía conceptual e histórica que hunde sus raíces en el debate fundamental entre Platón y Aristóteles sobre el régimen de verdad propio de la política.

Nada tiene de anacrónico poner de relieve lo que, desde la *pólis* o ciudad-Estado en la Grecia Antigua, ha determinado cierto tipo de relación entre la esfera de la verdad racional y la de los asuntos humanos, sujeta a los vaivenes de la contingencia. El enfoque aristotélico considera que, si existe una «verdad» de la política, ésta reside en una revalorización de la *dóxa* y el juicio compartido que se elabora en el debate público. Lejos de avalar la condena platónica de la opinión, orienta la reflexión hacia un análisis de las condiciones de la *práxis* y del espacio común que sustenta el modo de existencia político. También revela que la palabra política conlleva una ambivalencia irreductible: la política tiene su propia manera de utilizar el lenguaje, una manera que no es ni la de la verdad ni la de la filosofía, porque en el espacio público se enfrentan puntos de vista múltiples, discordantes y en conflicto. La pluralidad—que no es el relativismo de las opiniones—resulta indisociable del horizonte de los asuntos humanos.

Si bien esta disciplina de pensamiento sigue siendo válida hoy día, no basta para dar cuenta de las condiciones específicas por las que la postverdad es ante todo un ataque a las verdades de hecho (relativas a acontecimientos contingentes, a hechos que han tenido lugar pero cuyo carácter necesario no es evidente) y no a las verdades científicas y racionales, que, en la modernidad, apenas se cuestionan.

Hannah Arendt puso de manifiesto con una sutileza y una fuerza sin parangón las numerosas paradojas que impregnan las relaciones entre política, opinión y verdades de hecho. Aunque las verdades de hecho y la opinión comparten su participación en el tejido de la esfera pública y conciernen a la pluralidad humana, se diferencian en que la verdad—ya sea racional o fáctica—se impone con una evidencia forzosa. No es posible discutir el hecho de que «dos más dos son cuatro», ni tampoco que Donald Trump fue elegido presidente de Estados Unidos en noviembre de 2016. Las verdades de hecho son evidentes por sí mismas y, en cierto modo, están «más allá» de nuestro asentimiento. No obstante, pese a esta evidencia aparentemente irrefutable, son vulnerables, y no hemos tenido que esperar a la aparición de la «postverdad» para advertirlo: conocemos las prácticas de los sistemas totalitarios, que borraban de los libros de historia los nombres de los dirigentes caídos o retocaban las fotos para hacer desaparecer a quienes se habían vuelto indeseables.

Sin embargo, sería un error pensar que la postverdad y la fabricación de «hechos alternativos» en las sociedades democráticas recurren a los mismos mecanismos que la ideología totalitaria. Sin duda, en ambos casos se propone un *sustituto* de la realidad, una reorganización de todo el tejido fáctico para que un mundo ficticio ocupe el lugar del mundo de experiencias y relaciones que compartimos y es el «suelo» en el que nos asentamos.

En los sistemas totalitarios, una ideología «fantasmáticamente ficticia» crea un mundo a la vez falso y coherente que la experiencia es incapaz de contrarrestar. El pensamiento ideológico se libera de la experiencia y se deshace de lo real afirmando la existencia de una realidad más «verdadera» que la que conocemos y percibimos. Ordena los hechos según un procedimiento enteramente lógico: partiendo de una premisa convertida en axioma, de la que se deduce todo lo demás, se llega a una coherencia que no deriva de lo real.

Aunque este enfoque no carece, a primera vista, de semejanza con ciertas características de la postverdad (considerar los hechos «artefactos», reivindicar, a través de la proliferación de *fake news*, la existencia de «hechos alternativos»), la omnipresencia de los mecanismos totalitarios no puede atribuirse tal cual a las sociedades democráticas, en las que la cuestión se manifiesta de otra manera. Las verdades incómodas o inoportunas se transforman en «opiniones» y con ello se sugiere que no están directamente fundadas en hechos indiscutibles. El negacionismo es un ejemplo de manual, ya que falsifica y suprime lo real ante los ojos de quienes lo presenciaron. Este proceso—fomentado por la propensión al relativismo del «todo es igual»—permite deshacerse de las pruebas fácticas y producir una especie de diversidad indiferenciada en la que la expresión de las opiniones ya no necesita basarse ni legitimarse en los hechos. Aunque las opiniones sólo son fundadas cuando se basan en verdades fácticas, la postverdad socava esta validación y borra así la diferencia entre verdadero y falso: ya no es necesario que las opiniones se basen en los hechos. En la primera ceremonia de investidura de Donald Trump, por ejemplo, el número de asistentes fue menor que en la de Obama en 2009. No obstante, para el equipo del nuevo presidente el dato carecía de importancia, según afirmó su asesora en aquella ocasión: pese a todas las fotos y documentos en los que podía percibirse que había menos personas, como no era posible «cuantificar» realmente una multitud, decir que en la investidura de Trump había más gente era presentar «hechos alternativos». Como señaló la redactora jefa de *The Guardian* en su comentario sobre la campaña del Brexit y los resultados de aquella votación, si los hechos fueran una «moneda» sin duda acababan de sufrir una tremenda devaluación.

El problema adquiere aún mayor complejidad cuando analizamos la naturaleza del proceso que contradice las verdades de hecho: a saber, la mentira o, para decirlo de modo más preciso, la capacidad de mentir, negar o distorsionar la realidad fáctica. Dicha capacidad no carece de afinidades con la posibilidad de transformar lo real mediante la acción, es decir, de *imaginar* que lo real podría ser diferente a como es. Fue Arendt quien planteó esta observación desconcertante, incluso provocadora, al insistir en la proximidad entre la capacidad de mentir, de negar de forma deliberada la realidad, y la capacidad de actuar, que permite transformar el mundo. Ambas provienen de la imaginación y del ejercicio de una libertad que puede introducir lo nuevo y lo imprevisible. El mentiroso se aprovecha de esta afinidad e insidiosamente convierte la posibilidad de transformar lo real en la de falsearlo. Con ello tan sólo distorsiona o desnaturaliza la libertad humana, esa facultad primordial que tiene el poder de cambiar el orden del mundo existente.

Éste es el entramado que debemos tener en cuenta si queremos comprender la paradoja inherente a la política, una paradoja que no puede reducirse a los medios asignados de modo tradicional a la práctica del poder. El «decir la verdad» mantiene una relación difícil con la ambigüedad inherente al lenguaje político: Aristóteles no lo ignoraba cuando intentaba elaborar las reglas del discurso verosímil, en un régimen lógico que se ajusta a las condiciones de la contingencia y no es el de la «verdad». Sin duda, Foucault—por muy esclarecedores que resulten sus análisis de la *parresía* (el 'decir la verdad', 'la franqueza', 'la libertad de palabra') para una historia de la subjetividad y de la constitución del sujeto ético—seguía siendo demasiado platónico para llevar hasta el final la paradoja de la política—y tal vez sus desgarros—sin intentar disolverla en lo que Ricœur denomina «atestación» ética: «No existe mundo sin un sí mismo que se encuentre y actúe en él, ni un sí mismo sin un mundo practicable de algún modo».[1]

Aristóteles se ocupó de un problema al que volvió Arendt: el de lo imaginario. Dicho de otro modo, la transformación de las verdades de hecho en opiniones está vinculada al ejercicio vulnerable, incluso pervertido, del juicio, intensificado en el presente por la difusión viral de la información. Pero la afinidad entre la capacidad de mentir y la libertad, la proximidad de la mentira a la capacidad de transformar lo que existe, obliga a plantearse o a replantearse la cuestión de la ficción y su relación con lo real, su fecundidad o sus extravíos.

¿Qué ocurre con el poder de la ficción? ¿En qué condiciones es capacidad de actuar? ¿Qué distingue una ficción impotente, mero sucedáneo de lo real, de una refiguración imaginativa, cuya fuerza heurística nos permite habitar el mundo? Dedico la última parte de este libro a examinar estas preguntas. Se trata de confrontar la naturaleza y los efectos de la postverdad con la creatividad de

[1] Paul Ricœur, *Soi-même comme un autre*, París, Seuil, 1990, p. 360 [*Sí mismo como otro*, trad. Agustín Neira, Tres Cantos, Siglo XXI, 1996, p. 344].

un discurso de ficción que sólo destruye lo real para restablecerlo. A fin de lograrlo, habrá explorado unos posibles que no se dan ni en la experiencia común ni en el lenguaje descriptivo.[1] Así concebido, el libre juego de la imaginación no sólo funciona en el mundo textual y de la ficción literaria o artística, sino que también abre posibles prácticos y una «verdad por hacer». Por extraña que pueda parecer esta expresión en relación con la concepción tradicional de la verdad como *adæquatio rei et intellectus*—la adecuación de la cosa y la mente que garantiza la realidad del objeto—, implica la posibilidad de abrir nuevas dimensiones de lo real.

Existen muchas prácticas imaginativas que tienen un efecto de retroalimentación en el mundo existente. Las utopías no son propuestas alternativas que vendrían a reemplazar la realidad tal como es—y menos aún las llamadas distopías, sus reflejos invertidos—. Más que por sus objetos, sus temáticas o sus contenidos, que a menudo han producido formas patológicas o incluso totalitarias, las utopías valen por la reserva de mundos posibles que revela su capacidad proyectiva. Pues su excentricidad, el «no lugar» al que apuntan, ilumina los límites en los que vivimos y nos movemos. Ese no estar en «ningún lugar» perturba la evidencia de lo real y establece una distancia con el espacio social existente, pero, dado el excedente de sentido que contiene, recalifica y enriquece el mundo para hacerlo habitable. Lo mismo ocurre con las «heterotopías» tal como las concibió Michel Foucault, esos lugares «otros» que, a un

[1] El término *posibles* procede de la filosofía de Paul Ricœur y designa la capacidad del lenguaje (especialmente a través de la metáfora y la narración) para imaginar mundos diversos, designar realidades complejas y elaborar relatos sobre uno mismo. (*N. del T.*).

tiempo fuera de todo lugar y efectivamente localizables en el seno de nuestras sociedades, se resisten a la entropía dibujando un «ser de otro modo» en lo social.

Si, con la llegada de la postverdad, el mundo imaginado por Orwell en *1984* tiene tanto eco hoy, no es sólo porque perfile los rasgos inhumanos de un sistema totalitario consumado, sino también porque representa un mundo en el que la idea de verdad ha desaparecido por completo y en el que la única libertad de la que disponen quienes desean resistir es la de poder escribir en su diario que «dos más dos son cuatro». Contra la aniquilación de lo real, Orwell apela, más que al saber instituido, a la «verdad» común que es la *common decency* (la 'decencia común o corriente'). Ella es el fundamento sensible de nuestra pertenencia al mundo, comparable en este sentido al principio de piedad de Rousseau, ese afecto estructurante que nos dispone a vivir en comunidad y cuya privación o ausencia es el signo de la inhumanidad. En la sociedad distópica descrita en *1984* ha desaparecido toda referencia a la «verdad» del sentido común, que hace posible compartir tanto el juicio como las experiencias sensibles. Está poblada de individuos para quienes ya no existe la distinción entre hecho y ficción, ni entre verdad y falsedad. Y en este mundo que ya no es tal, el poder heurístico de la ficción se ha hundido junto con la fuerza de lo verdadero. Porque el poder del imaginario se marchita y se desvanece cuando triunfa la debilidad de lo verdadero.

I

EN LA ERA DE LOS «POST»: EL ESTADO DE LA CUESTIÓN

Sabemos muy bien que comprender lo que nos sucede, pensar la actualidad o el presente, no es abrazar el movimiento perpetuo, el vértigo de lo que ocurre, el flujo incesante de informaciones y modas que atraviesa una sociedad donde reina la inflación del instante y lo efímero. ¿Basta, pues, que un vocablo haya sido proclamado «palabra del año», incluso por el respetable diccionario Oxford, para concluir que puede—o debe—convertirse en objeto de pensamiento? Eso es lo que ocurrió en 2016 con la palabra *postverdad* (*post-truth*), referida a «circunstancias en las que los hechos objetivos tienen menos influencia en la opinión pública que aquellos que apelan a la emoción o a las creencias personales». El término se convirtió en un «pilar de los comentarios políticos» en 2016: su uso aumentó un dos mil por ciento respecto al año anterior, especialmente en el contexto del referéndum sobre el Brexit en Reino Unido y las elecciones presidenciales en Estados Unidos. Y el diccionario añade que la aparición de la *postverdad* en el lenguaje fue «alimentada por el auge de las redes sociales como fuente de información y por la creciente desconfianza en los hechos presentados por el *establishment*».[1]

[1] Diccionario Oxford, 2016. No obstante, la palabra *postverdad* ya había aparecido en un libro del escritor estadounidense Ralph Keyes publicado en 2004, *The Post-Truth Era. Dishonesty and Deception in Contemporary Life*, Nueva York, St Martin's Press. El título indicaba que estábamos ante un fenómeno epocal: la «era» o la «época» de la postverdad.

¿Ofrece esta definición el menor indicio de que la postverdad haya introducido alguna *diferencia* notable? ¿Designa la noción la llegada de un fenómeno sin precedentes que rompería el continuo temporal, marcaría una ruptura o incluso tendría un sentido específico en—y para—la experiencia de nuestro presente? A primera vista, no hay nada nuevo en esta idea: cuando se dirigen a los ciudadanos, los políticos, al igual que los medios de comunicación, apelan más a las emociones o a las creencias personales que a la racionalidad y la reflexión sobre los hechos objetivos. De este modo, piensan, tienen más posibilidades de ganarse la adhesión y el apoyo públicos. Y el fenómeno se intensifica por el funcionamiento de las redes sociales, que calan en la opinión pública, y por el descrédito que afecta en la actualidad a los canales oficiales (la prensa y otras vías tradicionales de difusión de la información).

Pero sigamos leyendo las consideraciones y comentarios del diccionario, en el que se subraya que, aunque el término no es del todo nuevo, en la actualidad ocupa un lugar central. Es más, en este caso concreto, el prefijo *post* no se refiere sólo a un tiempo o período que habría seguido al anterior (como, por ejemplo, cuando hablamos de *postguerra* o *postpartido*), sino que indica claramente que la noción a la que se añade el prefijo—la verdad—ha pasado a ser secundaria, e incluso que carece de pertinencia. La postverdad ha puesto en tela de juicio la naturaleza esencial de la verdad.

Ésa sería la ruptura significativa: *la verdad misma parece haberse vuelto obsoleta o irrelevante*. Y, en este sentido, no es indiferente que el auge de la *post-truth* se haya asociado, en el contexto del Brexit y de la primera elección de Trump como presidente de Estados Unidos, con la *post-truth politics*, la «política de la postverdad». Ésta no designa una política que acontece «después de» la verdad, en el sentido de sustituir a prácticas desarrolladas *en*—o *a la luz de*—la verdad, sino una política que deslegitima el valor de la verdad y vuelve inesencial o insignificante la verdad misma.

Esta hipótesis—que otorga al concepto una enorme consistencia—merece ser examinada por varias razones.

LA ERA DE LOS «POST»

En primer lugar, lejos de estar aislado, el término *postverdad* se inscribe en una constelación: la de los múltiples usos del prefijo *post*, diferenciados, incluso heterogéneos. En su variante débil, o mínima si se prefiere, el prefijo marca simplemente una sucesión temporal: el período así calificado sigue al anterior, viene *después*. Hablamos de postguerra, pero también de postoperatorio, postnatal, postdata...

Sin embargo, el *post* también puede revestir—y esto es lo que nos interesa—una acepción mucho más fuerte cuando introduce una cesura cualitativa: en tales casos señala una dificultad o un elemento de ruptura y novedad; indica que tal vez estemos en el umbral de una época, en los albores de una configuración inédita. Así ha ocurrido de manera destacada con el concepto casi inaugural de «postmoderno» o «postmodernidad».[1]

La postmodernidad no es sólo el momento que sucede a la modernidad, sino que se refiere a la salida de una tem-

[1] Presente en el mundo anglosajón desde la década de 1950, el concepto penetró con fuerza en el pensamiento francés durante la década de 1970, sobre todo en la obra de Jean-François Lyotard. Véase *La Condition post-moderne. Rapport sur le savoir*, París, Minuit, 1979. [Existe traducción en español: *La condición postmoderna: informe sobre el saber*, trad. Mariano Antolín Rato, Madrid, Cátedra, 2019].

poralidad sometida a «grandes relatos» totalizadores en los que la historia tenía un sentido asegurado, organizado en torno a la idea de progreso, tanto en términos técnicos y científicos como políticos. Estos grandes relatos emancipadores, vinculados al proyecto de la Ilustración, perdieron legitimidad, sobre todo a raíz de las catástrofes del siglo XX, lo cual condujo a una fragmentación de las experiencias, los saberes y las creencias, es decir, a una mutación que marca una auténtica ruptura con el pasado. No se trata aquí de discutir el valor de la hipótesis, sino de insistir en lo que implica, en este caso, el uso del *post*: la ruptura cualitativa que, al volver caducos los grandes relatos de la filosofía de la historia y la creencia generalizada en el progreso, indica que hemos entrado en un nuevo régimen de historicidad, un régimen de extrema incertidumbre sobre las cuestiones esenciales que afectan al futuro.

Este mismo enfoque distintivo—que introduce una ruptura cualitativa—se manifiesta en el uso del prefijo *post* en cierto número de nociones o conceptos, también vinculados al desconcierto y a la conciencia de crisis en torno al presente en que vivimos: así ocurre con la «postdemocracia» o la «postpolítica».[1] Tampoco estos conceptos se limitan a designar un estado que habría sucedido al anterior, sino que reflejan la crisis de la democracia contemporánea, al constatar cierto número de síntomas en los que coinciden, por otra parte, la mayoría de los análisis: aunque la democracia perdura en su forma externa (al menos en Occidente), toda su energía se ha esfumado, de modo que hoy parece una «cáscara vacía». El poder ya no perte-

[1] *Post-democracy* es el título de un libro del politólogo y sociólogo Colin Crouch, publicado en inglés en 2004. [Existe traducción en español: *Posdemocracia*, trad. Mónica Recio, Madrid, Taurus, 2004].

nece al pueblo sino a una oligarquía, la representación está en profunda crisis, el derecho común ha incorporado el estado de excepción, la globalización y el desarrollo del capitalismo financiero han conducido a una deriva neoliberal que implica *de facto* un proceso de desdemocratización. El respeto de los procedimientos formales (la separación de poderes, el papel del poder legislativo, la independencia del poder judicial) no basta para frenar y contrarrestar el debilitamiento del papel activo de los ciudadanos y de su capacidad para influir en el curso de los acontecimientos.

A estos fenómenos se añaden las transformaciones de las posiciones subjetivas de los individuos: si damos crédito a la encuesta publicada en *Le Monde* el 2 de noviembre de 2016, no sólo la mayoría de los franceses cree que la democracia funciona cada vez peor (apreciación que, desde luego, dista de ser nueva), sino que un tercio piensa que no es el mejor sistema político, ni siquiera el menos malo. Lejos de considerarla insustituible, se muestran confiados ante las posibles ventajas de un gobierno tecnocrático guiado por expertos, e incluso de un sistema autoritario en el que los contrapoderes ya no frenarían la acción del ejecutivo. Estas valoraciones subjetivas marcan un cambio relativamente reciente, confirmado por el auge de los populismos. Atestiguan el fin de un consenso en el que todos (o casi todos) se proclamaban demócratas, pese a sus insatisfacciones, decepciones y críticas.[1]

Algunos, al constatar este agotamiento de la democracia, han llegado a hablar de *postpolítica*.[2] Pero el término,

[1] Me permito remitir a mi libro *Pourquoi nous n'aimons pas la démocratie* y a los análisis de los discursos engañosos que afectan estructuralmente a la existencia democrática, París, Seuil, 2010.

[2] Por ejemplo, el ensayista Mathieu Laine, que en 2009 publicó un libro titulado *Post-politique*, París, J.-C. Lattès.

que también pretende describir situaciones inéditas en las que ya no se reconocen las características atribuidas a experiencias pasadas, se ha utilizado de forma muy diversa y desde posiciones antagónicas. Del lado ultraliberal, el mundo «postpolítico» describe el Estado que se ha desentendido de sus funciones y ha puesto todo el énfasis en la responsabilidad individual. La «postpolítica» así concebida propone un cambio de paradigma: del viejo modelo estatal, encargado de redistribuir la riqueza, a una nueva visión del mundo en la que priman la búsqueda de la eficacia, la autonomía individual y el espíritu emprendedor propio de los individuos «conectados». En contraste con esta retórica ultraliberal, otros autores sostienen que la «postpolítica» tiende a borrar la dimensión conflictiva que está en la raíz de la existencia democrática. El objetivo de una verdadera democracia no es aspirar a la desaparición de los antagonismos, sino darles forma y sentido, para que la soberanía del pueblo pueda ejercerse de veras. La democracia es el sistema en el que se institucionalizan los conflictos. Sin esta dinámica estructurante, la democracia queda desprovista de su sentido y sustancia.[1]

Por divergentes, o incluso opuestos, que sean estos diversos usos e interpretaciones del prefijo *post*, todos señalan una *diferencia* significativa dentro de una historia: suponen que un determinado pasado ha quedado obsoleto e inoperativo, y que la ruptura inaugura una nueva perspectiva del futuro. Esto es así con independencia de la valoración del prefijo: pesimista, decadente, o, por el contrario,

[1] Ésta es en particular la posición de Chantal Mouffe, cercana a France Insoumise y al movimiento 15-M en España. Se inspira en los análisis de Claude Lefort sobre el conflicto democrático y en el pensamiento de Carl Schmitt.

testimonio de una frágil esperanza en los nuevos tiempos que se avecinan. Los *post* acompañan, en el desconcierto, una conciencia de crisis exacerbada e incluso el sentimiento de una aporía. Somos (ya) incapaces de responder a estas preguntas esenciales: ¿dónde estamos en el presente?, ¿en qué mundo vivimos?, ¿qué es este tiempo al que pertenecemos? A este respecto cabe recordar los profundos análisis de Hans Blumenberg sobre la característica dificultad de la modernidad para autodesignarse: la naturaleza misma del proyecto moderno, su voluntad de ruptura radical con todo lo anterior y de actualización constante de dicha ruptura, obliga a la modernidad a interrogarse sin cesar sobre sí misma, sobre su legitimidad y su inscripción en el tiempo.[1] La palabra *modernidad* expresa la idea que nuestro tiempo tiene de sí mismo en su diferencia, su novedad en relación con el pasado.[2]

En este sentido, el uso cada vez más frecuente del prefijo *post* forma parte de una disposición propiamente moderna, de un cuestionamiento incesante y difícil del «umbral de una época». Es cierto que podemos sentir una ruptura con un continuo histórico, pero, en ese supuesto, «quien habla de la realidad de un cambio de época debe probar que se ha establecido algo definitivo», que «se ha fijado algo irreversible».[3]

Aunque es difícil pronunciarse con tanta claridad sobre nuestro presente, cabe plantear la hipótesis de que, más allá de cierta cháchara político-mediática, la aparición de

[1] Véase, en particular, Hans Blumenberg, *La legitimación de la Edad Moderna*, trad. Pedro Madrigal, Valencia, Pre-Textos, 2008.

[2] Hans-Robert Jauss, *Pour une esthétique de la réception*, trad. Claude Maillard, París, Gallimard, 1990, p. 158.

[3] Hans Blumenberg, citado en *Pour une esthétique de la réception*, *op. cit.*, p. 532.

la postverdad señala una cuestión crucial: la posibilidad de un mundo común. Pues el hecho de designar la verdad misma como secundaria o irrelevante, incluso en la esfera política, marca un decisivo punto de inflexión. No se trata simplemente de caracterizar una nueva forma de estar en el tiempo o un nuevo «régimen» político (cualquiera que sea el sentido y la extensión que demos al término), ni siquiera una configuración que sustituiría a la política concebida al modo tradicional. La postverdad sugiere la posibilidad de un régimen de indiferencia hacia la verdad, e incluso la supresión de su valor normativo mediante el borrado de la división entre lo verdadero y lo falso.

Pero, primero, analicemos las circunstancias y los acontecimientos que provocaron o acompañaron el auge de la postverdad.

CIRCUNSTANCIAS

El libro de Ralph Keyes, *The Post-Truth Era*, de 2004,[1] ya se refería a la aparición de una región y un régimen de funcionamiento imprecisos y dudosos, que en esencia describía de la manera siguiente: en tiempos pasados teníamos la verdad y la mentira; ahora tenemos la verdad, la mentira y enunciados que pueden no ser ciertos, pero que consideramos demasiado insignificantes para calificarlos de falsos. Abundan los eufemismos: «dosificamos la verdad», la «edulcoramos» o la «maquillamos». El engaño ha dado paso a la pirueta: a lo sumo admitimos el error o la falta de juicio, pero evitamos acusar a los demás de mentir, preferimos decir que «niegan» la realidad. Un mentiroso es al-

[1] Véase la nota 1, p. 21.

guien de ética dudosa, alguien para quien la verdad está «fuera de servicio» momentáneamente.

Estamos en la era de la postverdad: la difuminación de las fronteras entre lo verdadero y lo falso, la honestidad y la deshonestidad, la ficción y la no ficción. El resultado es un frágil edificio social basado en la desconfianza. Cuando cierto número de personas empieza a propagar ficciones como si fueran hechos reales se dañan los cimientos de la sociedad, que se derrumbaría por completo si asumiéramos en todo momento que nuestro prójimo tanto puede decir la verdad como hablar en falso.

Así pues, parece que asistimos a la generalización de comportamientos individuales y modos de relación intersubjetiva que atestiguan la difuminación de las fronteras entre la verdad y la mentira, la sinceridad y el engaño. Pero la *post-truth* se convierte en un fenómeno destacado (lo que justifica su elección como palabra del año) gracias a dos acontecimientos, como ya se ha dicho: la campaña del Brexit y la primera elección de Donald Trump como presidente de Estados Unidos. Katharine Viner, redactora jefa de *The Guardian*, publicó un análisis muy interesante sobre el tema titulado «*How technology disrupted the truth*» ('Sobre cómo la tecnología ha menoscabado la verdad').[1] De hecho, el alcance del artículo va más allá de lo que da a entender su título, ya que la autora no se limita a analizar los efectos de la difusión de información a través de los nuevos medios de comunicación (internet y diversas redes sociales).

Observando la debacle de la clase política británica en el momento de la campaña del Brexit, Katharine Viner califica la aprobación del Brexit en las urnas como «la primera gran votación en la era de la política de la postverdad». El

[1] *The Guardian*, 12 de julio de 2016.

artículo comienza con una anécdota: un lunes por la mañana, leyendo el *Daily Mail*, los ingleses se enteraron de que su primer ministro, David Cameron, era un libertino, ya que supuestamente había participado, dentro de una fraternidad de la Universidad de Oxford famosa por sus excesos, en un obsceno ritual con una cabeza de cerdo. La historia, extraída de una biografía de Cameron, enardeció de inmediato a la opinión pública y corrió como la pólvora por las redes sociales. Las acusaciones fueron al punto recogidas por las principales figuras de la escena política, y ofrecieron una magnífica oportunidad para humillar a un dirigente considerado «elitista». El primer ministro, que al principio no quiso «rebajarse» a responder, se vio obligado a emitir un desmentido formal.

Veinticuatro horas después de ridiculizar en público a David Cameron, la periodista del *Daily Mail* que había publicado el artículo (y que asimismo era coautora de la biografía en la que figuraba la anécdota) apareció en un plató de televisión y admitió que no podía asegurar que la información fuera cierta y reconoció que no tenía pruebas porque no había podido verificar los testimonios de su fuente. Por último, añadió que en ningún sitio había afirmado que ella misma la creyera. En otras palabras, nada había que confirmase la veracidad de la anécdota y, sin embargo, la historia—recogida por decenas de periódicos, millones de tuits y mensajes en Facebook—pasaba por ser un hecho sabido. Es más, la periodista, considerando que podía eximirse de toda responsabilidad, declaró que correspondía a los ciudadanos «decidir a qué dan crédito o no». Así pues, tocaba al lector—quien, por supuesto, no conocía la identidad de la fuente—formarse una opinión: pero ¿en qué podía basarse?, ¿en su instinto?, ¿en su intuición?, ¿en su estado de ánimo?

A continuación, Katharine Viner plantea la siguiente pregunta: «*Does the truth matter any more?*» ('¿Importa aún la verdad?'. Dicho de otro modo: ¿sigue valiendo para algo?).

La misma pregunta persiste en el caso del Brexit, cuyos partidarios, además de no tener un plan B para los términos, las condiciones y el calendario de salida de la Unión Europea, también reconocieron inmediatamente después de ganar el referéndum que las reivindicaciones y los argumentos que habían esgrimido durante la campaña eran de todo punto falaces: el 24 de junio, a las seis de la mañana, es decir, poco más de una hora después de conocerse el resultado del referéndum, Nigel Farage, el líder del UKIP (el partido antiinmigración y euroescéptico que había hecho campaña a favor de abandonar la Unión Europea) admitió que Reino Unido no tendría trescientos cincuenta millones de libras semanales para gastar en el National Health Service (el servicio público de salud). Sin embargo, como se recordará, esta reivindicación estaba en el centro de la campaña «*Vote leave*» a favor del Brexit (incluso se exhibía en los autobuses). Unas horas más tarde, otro diputado conservador declaró que el Brexit no reduciría en absoluto la inmigración. Sin duda, no resultaba novedoso que los políticos, una vez elegidos, rompieran sus promesas electorales, pero ésta fue probablemente la primera vez que admitían, apenas tras ganar una votación, que eran y habían sido siempre unos falsos. De ahí la conclusión de Katharine Viner: el Brexit fue la primera gran votación de la era de la política de la postverdad. La campaña a favor de la permanencia en la Unión Europea bajo el lema «*Remain*», un tanto apática y llevada a cabo sin demasiada energía, había intentado combatir con hechos los argumentos falaces, pero muy pronto quedó claro que si los hechos fueran una moneda, acababan de sufrir una tremenda devaluación. En otras palabras, hasta entonces se había considerado que existía una serie de hechos demostrables por A + B (verdades de hecho), y que tales hechos no sólo eran el objeto sino también la *condición* del debate, pero en adelante ese acuerdo tácito se había roto y, por lo tanto, la discusión se había vuelto imposible.

A esto se refería el diccionario Oxford cuando decía que la postverdad había convertido la verdad en algo inesencial o irrelevante.

Viner prosigue señalando que cuando un hecho empieza a parecerse a lo que uno cree que es verdad es muy difícil para cualquiera diferenciar entre los hechos verdaderos y los que no lo son. La difuminación de las fronteras vuelve problemática tanto la discriminación entre lo verdadero y lo falso como la noción misma de «hecho».

Evidentemente, nos vienen a la cabeza los «hechos alternativos» (*alternative facts*) de los que habló la portavoz de la Casa Blanca cuando se produjo la polémica sobre el número de espectadores presentes el día de la primera toma de posesión de Donald Trump: hechos alternativos que no sólo se referían al tamaño de la multitud, sino también a las condiciones meteorológicas. Donald Trump empezó su discurso declarando que la lluvia había «cesado de inmediato» y que brillaba «un sol radiante», como si el cielo le diera su bendición. Para cuando terminó de hablar la lluvia arreciaba de nuevo. Sin embargo, como recordaba *The New York Times*, llovió durante toda la ceremonia... A lo que Sean Spicer, otro miembro del equipo presidencial, respondió: «Creo que a veces podemos discrepar sobre los hechos».

No hace falta insistir en el papel que desempeñan las distintas redes socio-digitales, que favorecen la proliferación de informaciones contradictorias y a menudo abiertamente falaces. En ellas se informa la mayoría de jóvenes de 18 a 24 años, y sabemos que el carácter «viral» de este modo de difusión es decisivo. Puesto que la tecnología es un medio, llegamos a la siguiente conclusión: «Cada vez más, lo que pasa por hechos es sólo el punto de vista de alguien que cree que determinada cosa es cierta, pues la tecnología ha permitido que estos "hechos" circulen con facilidad». A ello se suma que el punto de vista en cuestión es el de alguien que *desea* que eso sea verdad y para quien los «hechos» refuerzan creencias ya existentes: los algoritmos que seleccionan las informaciones que consultamos proponen una visión del mundo conforme a nuestras expectativas, lo que no favorece el ejercicio crítico. En estas condiciones, tenemos menos probabilidades de «estar expuestos a una información que estimularía o ampliaría nuestra visión del mundo» y de toparnos con hechos susceptibles de refutar las informaciones falsas compartidas por otros.

El artículo de Viner en *The Guardian* no se limita a analizar los efectos de la revolución digital en la difusión y naturaleza de la información, sino que nos lleva a disipar ciertas ambigüedades sobre el tenor de la postverdad y la llamada democracia «postfactual»—de ahí que se haya citado con tanta frecuencia—. En primer lugar, si nos fijamos en la cuestión de la información, sería ingenuo pensar que las redes socio-digitales han socavado un valor que antaño era universalmente respetado por la prensa tradicional: a saber, la independencia de pensamiento y acción, la objetividad, el respeto absoluto de la ética periodística, que prohíbe toda distorsión al relatar los hechos. Sabemos que—con independencia de los nuevos canales que ofrecen las redes sociales, e incluso si la búsqueda de la verdad se define como un requisito esencial—la prensa no está al margen de fuertes presiones (económicas, comerciales), y que en la actualidad se halla sometida a lógicas de comunicación que debilitan tanto el periodismo de opinión como el informativo.

No se trata, pues, de considerar la política de la postverdad como una desinformación engañosa y falsificadora que habría ocupado el lugar de una información orientada a la búsqueda de la verdad. Menos aún cabe imaginar que la política de la postverdad sustituya a una política democrática investida de respeto a la verdad y libre de cualquier intento de desinformación. Recordemos que en 1986 las autoridades nucleares francesas emitieron un comunicado de prensa en el que afirmaban que, tras la explosión de la central nuclear de Chernóbil, el aumento de la radiactividad en Francia «no era significativo para la salud pública»: la nube procedente de Ucrania se había detenido milagrosamente en la frontera francesa. Por no hablar de las falsas pruebas que presentó el Gobierno estadounidense en 2003 sobre la supuesta posesión por parte de Sadam Husein de «armas de destrucción masiva», que desencadenaron la intervención en Irak.

Estos ejemplos, entre otros muchos, bastan para demostrar que la novedad del fenómeno—si acaso es novedoso— no reside en el advenimiento de una era de mentiras generalizadas que habría sucedido a una época en la que triunfaba la verdad. Si nos fijamos en la definición del diccionario Oxford y en las cuestiones que plantea Viner en su artículo en *The Guardian*, se trata de algo muy distinto: la verdad se ha vuelto insignificante, la frontera entre lo verdadero y lo falso se ha difuminado, es indiferente. El hecho de que esta indiferencia esté vinculada a las condiciones políticas—los factores desencadenantes han sido el Brexit y el primer triunfo electoral de Trump—es obviamente fundamental. Plantea de inmediato varias preguntas.

¿Qué parentesco guarda la postverdad con las difíciles relaciones entre política y verdad a lo largo de la historia? ¿Se trata de la renovación o de la continuación, bajo una nueva forma, de una relación tormentosa que perdura desde la Antigüedad hasta nuestros días? ¿Es la política de la postverdad tan sólo un nuevo avatar de ese conflicto inmemorial, o hace emerger un fenómeno inédito?

En este último caso, ¿de qué verdad se trata? ¿De qué «régimen de verdad»? Porque, como ya he dicho, lo que está en juego son las verdades fácticas, la verdad de los «hechos», más que la verdad racional, matemática o científica. Vayamos aún más lejos: ¿se trata de «verdad» o de «opinión»? ¿De una opinión inmediata, irreflexiva, sin pruebas ni argumentos que ofrecer, o de una opinión informada, razonada y fundamentada, es decir, de la capacidad de juicio que constituye la base del mundo común?

Como se ha dicho en la introducción, éstas son algunas de las preguntas que este libro se propone abordar. Y para responder a la primera debemos remontarnos a la difícil historia de la relación entre verdad y política.

2
VERDAD Y POLÍTICA, UNA HISTORIA TORMENTOSA

Como sabemos, la idea de que verdad y política no se llevan bien es un lugar común y dista de ser nueva. Se trata de una historia muy remota, tan antigua como complicada. Antigua porque se remonta al acontecimiento inaugural del juicio de Sócrates y la condena a muerte que le impuso la ciudad. Complicada porque abarca múltiples facetas, se desarrolla en varios episodios y adopta diversas formas. Pero, pese a todos sus avatares, hay un hilo conductor que recorre la historia y sigue revelando una serie de constantes hasta nuestros días.

EPISODIO I: LA MUERTE DE SÓCRATES Y LO QUE VINO DESPUÉS

En primer lugar, debemos volver a los griegos, y al episodio que, según Hannah Arendt, fue tan decisivo para la historia del pensamiento político como el proceso y la muerte de Jesús para la historia de la religión. Fue Platón quien legó un relato de la muerte de Sócrates que ciertamente daría mucho que pensar a posteriores filósofos.[1] Lo cierto

[1] Hegel, por ejemplo, insistió en que Sócrates opuso su conciencia moral a la sentencia jurídica, y subrayó que, no obstante, ningún pueblo, y menos aún uno libre como el ateniense, puede reconocer un tribunal de la conciencia moral. Nietzsche, por su parte, insistió en que Sócrates *quería* morir: al proponer como castigo que lo alimentaran en el pritaneo a expensas de la ciudad, obligó a Atenas a condenarlo a la cicuta. En cuanto a Hannah Arendt, consideró la oposi-

es que su interpretación marcó toda una tradición de pensamiento, e incluso dio comienzo a una especie de vulgata sobre las difíciles y conflictivas relaciones entre la verdad y la política. Platón consiguió hacer pasar a Sócrates, el filósofo amante de la verdad, por una víctima de la ciudad democrática, condenado a muerte por una turba ignorante y ciega, presa de demagogos que no tenían empacho en adular y manipular a la «gran bestia» que es el pueblo.[1] Esta lectura dio origen a una línea de pensamiento que no sólo ha hecho del sacrificio de la verdad el corolario de la sociedad democrática gobernada por un pueblo irresponsable, sino que ha afianzado la sospecha generalizada sobre la política real tal como se practica cotidianamente. El proceso y la muerte de Sócrates revelan así algo que va más allá de la singularidad del personaje y el acontecimiento: a saber, el antagonismo entre la búsqueda de la verdad y las condiciones en que se ejerce la política.

Sin embargo, contra lo que podría pensarse, tras la muerte de Sócrates Platón no se apartó de la política para consagrarse a la búsqueda de la verdad en el mundo de las ideas, sino que intentó someter el funcionamiento de la ciudad real a la ley de la verdad. Quiso crear una ciudad justa que se atuviera a un modelo ideal, a la esencia eterna e inmutable del Bien, ya que la verdad no se encuentra en el mundo sensible. Sustraída a las contingencias y los peligros de la ciudad empírica, la ciudad ideal se sitúa en el mundo inteligible, que sólo pueden captar los ojos de la mente.

De ahí que sea el filósofo—capaz de contemplar las esen-

---

ción platónica entre verdad y opinión la conclusión más «antisocrática».

[1] Platón, *República*, VI, 493c. Moses Finley analiza este pasaje de Platón como «el más logrado triunfo prestidigitatorio de la historia» en: *Vieja y nueva democracia*, trad. Antonio Pérez, Barcelona, Ariel, 1980, p. 115.

cias eternas e inmutables—quien deba gobernar la ciudad. Como el mundo de las formas ideales es un sistema realizado de fines armoniosos, el filósofo puede conocerlo y concebir una sociedad que se adecúe al modelo ideal. Incluso en los últimos diálogos platónicos, en los que la figura del filósofo rey da paso a una representación más abstracta en la que prima la soberanía de la Ley, lo esencial permanece: la sumisión del poder al saber de una ontología previa. En este saber inmutable debe basarse—por razones de conformidad y adecuación—la ciudad buena y justa.

Así pues, la premisa fundamental de esta política «basada en la verdad» consiste tanto en su desvinculación de la práctica política real, del ámbito de la acción humana, como en su adecuación a normas enteramente filosóficas, es decir, portadoras de verdad. La de Platón es una política de la verdad, que somete la ciudad bien ordenada a una ontología previa y despoja así de todo fundamento y autonomía a la política real, empírica, librada a las contingencias y los peligros de la acción.

La filosofía platónica dará origen a una tradición de pensamiento que afianzará el divorcio entre la ciudad real y la verdad especulativa o racional, de manera que, como decía Nietzsche, los asuntos humanos puedan dejarse en manos de «espíritus mediocres» que bastarán para esa tarea. Pero esta perspectiva es ante todo la matriz en la que se inscribirán ciertos elementos esenciales que ya se cuestionaban en el pensamiento griego y cuyas persistentes huellas es posible encontrar en la actualidad.

No es nostálgico ni anacrónico recordar los términos del debate que enfrentó a Platón con Aristóteles a propósito de tres cuestiones decisivas como las relaciones entre el poder y el saber, el vínculo entre la *dóxa* (opinión) y la verdad, y, por último, la naturaleza del lenguaje político, cuyo núcleo es el estatuto de la retórica. Ninguna de ellas resulta inactual, todo lo contrario. O, si se prefiere, parafraseando a Nietzsche, podemos decir que a través de lo inactual y lo intempestivo penetramos en el corazón del presente, y también, a la inversa, que en virtud de la fuerza del presente podemos interpretar el pasado.

PODER Y SABER

Así, puesto que es importante no desvincularse de la ciudad, sino gobernarla a imagen de la norma ideal, el filósofo rey encarna la imbricación de saber y poder. Determina una política filosófica que es, como hemos dicho, una política de la verdad: sólo por remisión al modelo ideal puede construirse la ciudad justa. O, en otras palabras, la política—entendida como el ámbito de los «asuntos humanos» (*ta ton anthrópon prágmata*)—se rige necesariamente por normas que le son extrínsecas, no extrae su fundamento de sí misma, no es autónoma, en el sentido literal del término, sino heterónoma.

Y, sobre todo, la asociación de poder y saber—el hecho de que la verdad de la política esté vinculada al poder de los que saben—constituye el remoto origen de una tentación recurrente. La tentación «epistemocrática» o «epistocrática» es ante todo un intento de sustraerse a los interminables debates que acompañan a la política democrática. Saint-Simon soñaba con confiar las riendas del poder a individuos ilustrados como los científicos y los empresarios. En cuanto a la tecnificación de las decisiones políticas que hace de ciertos conocimientos (esencialmente económicos y administrativos) la matriz de cualquier decisión, se halla más que nunca a la orden del día.

Por otra parte, conviene recordar que esta ontología de la verdad no prohíbe a los gobernantes utilizar mentiras «bellas» o «nobles», necesarias para la regulación de la ciudad y sobre todo para el control de un *démos* ingobernable, como ilustra el mito de las razas que se expone en la *República*:[1] todos los ciudadanos son hermanos, porque proceden de la misma madre, la Tierra los trajo al mundo; pero no todos son iguales, porque el dios que los modeló mezcló distintos componentes con la arcilla: oro para los gobernantes, hierro para los soldados y bronce para los agricultores y artesanos. Así es como el mito—mentira noble o piadosa—justifica la división de los ciudadanos en tres clases necesarias para la buena organización y preservación de la ciudad justa. «Noble» porque abriga una verdad (la ciudad ordenada según lo inteligible) y «mentira» porque la ficción no es verídica, se trata de un relato. Lo cierto es que la mentira puede ser un instrumento de la verdad, a condición de que la administren los gobernantes: sólo ellos tienen potestad para recurrir a la mentira si redunda en interés de la ciudad.

Frente a esta política «basada en la verdad», que intenta sustraerse a los peligros de la política real, la posición de Aristóteles plantea otra perspectiva. Podemos concebir la consistencia y autonomía de los asuntos humanos en la medida en que se dan en un ámbito que no es el de la ciencia y lo necesario: pertenecen al terreno de la contingencia, de lo que no obedece a leyes necesarias. El horizonte de la acción humana es el de seres «de situación» que «no pueden vivir los principios más que en el modo del acontecimiento y de lo singular».[2] La propia acción (*práxis*) sólo tiene sen-

[1] Platón, *República*, III, 414b-c.

[2] Pierre Aubenque, *La Prudence chez Aristote*, París, PUF, 1976,

tido si, al intervenir en el orden del mundo, puede modificarlo. En el mundo humano el azar y las circunstancias desempeñan un papel, hacen que pueda ser diferente a como es. Y puesto que sólo es posible deliberar sobre lo contingente, la racionalidad humana será «deliberativa».

Ciertamente, en el pensamiento antiguo, la contingencia es la marca de una insuficiencia; es la distancia que separa la ley universal de su realización en lo particular. Por lo tanto, en el orden de los asuntos humanos no podemos esperar demostraciones perfectas. Pero, por la misma razón, la contingencia allana el camino para una acción humana razonable, lo que no significa enteramente racional. La imperfección del mundo inferior ofrece al sujeto humano la posibilidad de producir una norma específica, que es la de la acción. En palabras de Paul Ricœur, el camino de la acción humana es el que conduce de la falibilidad y la fragilidad a la capacidad. Una persona capaz es ante todo una persona falible. Desde esta perspectiva, la práctica política no se deduce de una ontología previa (la de la verdad), sino que se enfrenta a los acontecimientos, es una experiencia que requiere ciertas cualidades que no es posible conceptualizar. La primera es la *frónesis*, la sabiduría práctica que difiere de un saber teórico de lo inmutable, a la vez facultad de discernimiento y capacidad deliberativa que comparten, bajo modalidades diferentes, los ciudadanos y quienes legislan y gobiernan. Si en este ámbito puede hablarse de «verdad» es la de la acción, en la acción.

En razón de esta autonomía, la comunidad política se distingue de todas las demás: familia, comunidad doméstica, tribu, hermandad religiosa o reunión momentánea en

---

p. 65 [*La prudencia en Aristóteles*, trad. María José Torres, Barcelona, Crítica, 1999, p. 78].

un banquete, por ejemplo: «Cuantos opinan que es lo mismo gobernar una ciudad, un reino, una familia y un patrimonio con siervos no dicen bien».[1] Para Aristóteles es erróneo afirmar que estas funciones sólo se diferencian por el mayor o menor número de individuos sobre los que se ejerce el poder. Naturalmente alude a Platón, pero también a Jenofonte, quien en *Recuerdos de Sócrates* hacía afirmar al filósofo que «el cuidado de los negocios privados sólo se diferencia del de los públicos por el número», y quienes saben dirigir a los hombres lo hacen igualmente bien en los asuntos privados y en los públicos, mientras que quienes no saben hacerlo yerran en los dos ámbitos.[2] Todo depende, pues, del arte de gobernar, que a su vez se basa en un saber adquirido.

Dicho de otro modo, el Estado puede dirigirse del mismo modo que un negocio (y viceversa), y el funcionamiento del primero puede alinearse con el del segundo. Pero ¿qué ocurre con sus respectivas finalidades?

Aristóteles responde a esta pregunta desde una posición radicalmente distinta. Señala una diferencia cualitativa, de naturaleza, entre esos diversos modos de relación: la ciudad no es ni una familia ni una comunidad doméstica o despótica, y tampoco el gobernante de una ciudad es ni el amo de sus esclavos ni el padre de familia. El magistrado no es un «amo», sino más bien, como dice Tucídides de Pericles, el «primero de los ciudadanos».

¿Por qué esta insistencia en la singularidad de la comunidad política? En primer lugar, porque el poder de gober-

[1] Aristóteles, *Política*, introd., trad. y notas Carlos García Gual y Aurelio Pérez Jiménez, Madrid, Alianza, 2009, I, 1, 1252a, p. 45.

[2] Jenofonte, *Recuerdos de Sócrates*, en: *Recuerdos de Sócrates; Económico; Banquete; Apología de Sócrates*, introd., trad. y notas Juan Zaragoza, Madrid, Gredos, 1993, III, 12, p. 114.

nar no se basa en un saber ni en una competencia universal que pueda ejercerse sobre cualquier objeto. La política no es la «ciencia» del gobierno; no es un conocimiento que pueda aplicarse a cualquier dominio. La primera diferencia se debe a la naturaleza de la relación política: ésta concierne a una comunidad de iguales. Los ciudadanos no son niños a los que deban educar los adultos, ni la administración de cosas y bienes es el gobierno de hombres libres. Los ciudadanos se pertenecen a sí mismos, tienen satisfechas las necesidades materiales y no son enteramente ni gobernantes ni gobernados. Pero como no todos pueden gobernar al mismo tiempo, tendrán derecho a ser alternativamente gobernantes y gobernados.

En lo que se refiere a la capacidad de juicio de los ciudadanos, Aristóteles opone a la metáfora platónica de la «gran bestia» peligrosa e incontrolable la del banquete colectivo, una especie de pícnic en el que todos aportan su parte: este tipo de banquetes «son mejores que los costeados a expensas de uno solo».[1] En otras palabras, el pueblo reunido para la deliberación colectiva reúne en su multiplicidad, diversidad y «mezcolanza» las capacidades de las que ningún individuo dispone por sí solo. Para deliberar y juzgar no es necesario un «saber», ni en el sentido de un conocimiento teórico abstracto ni en el de uno técnico especializado. Pero, en efecto, el modo de vida político propio de la ciudad—la renovación incesante del debate, el cuestionamiento de opiniones y puntos de vista—fomenta el desarrollo de las capacidades de deliberación y juicio.

Esta perspectiva aristotélica es la que adopta Hannah Arendt. Comentando la distinción kantiana entre el «genio» creador y el «gusto» (que caracteriza a los espectado-

[1] Aristóteles, *Política*, *op. cit.*, III, I, 1281b, p. 136.

res, a quienes aprecian las obras de arte), traslada esta consideración estética al ámbito político: el juicio de los espectadores constituye el ámbito público en el que se ejerce la facultad crítica del juicio. Es pues en el seno de la pluralidad donde se ejerce el *sensus communis*, «un sentido que es común a todos» y permite a cada individuo superar su idiosincrasia,[1] ir más allá de los límites que afectan a su propio juicio y elevarse, como escribió Kant, por encima de sus condiciones «subjetivas» para acceder (potencialmente) al punto de vista de los demás.

Hannah Arendt se interroga sobre este principio, que nos permite ampliar nuestro modo de pensar,[2] para convertirlo en un principio fundamental del juicio político, una perspectiva que no es ajena a la de Aristóteles. Arendt se vale de la *frónesis* (que ella traduce como *discernimiento*) para reflexionar sobre qué hace que seamos capaces de orientarnos en la esfera pública y compartir el mundo con los demás. La autora también se inscribe en la tradición aristotélica cuando insiste en la distinción entre la búsqueda de la verdad absoluta (la del filósofo platónico) y las condiciones del juicio político, que tiene lugar en el mundo común, en y a través del ejercicio de la pluralidad.

En efecto, cuando deliberamos sobre asuntos comunes nuestros juicios no son infalibles. Pero es posible asumir ese riesgo «epistémico» si consideramos que el juicio compartido y la práctica colectiva forman parte de una especie de curso de educación política. Sin duda, podemos reconocer en esta perspectiva los rasgos distintivos de una crítica a la omnipotencia del saber de los expertos, la «epis-

1 Immanuel Kant, *Crítica del juicio*, trad. Manuel García Morente, Madrid, Austral, 2001, § 40, p. 245.

2 *Ibid.*, p. 247.

temocracia» o «epistocracia»: la creciente complejidad de las sociedades contemporáneas no invalida esta reflexión sobre la parte que, más allá de la competencia de los expertos, corresponde a los ciudadanos y atañe a la deliberación y el juicio colectivos. Esta parte no se reduce al poder de una turba abandonada a sus arrebatos irracionales ni a una especie de «mercado de las ideas». Pero nos falta todavía examinar con detenimiento la naturaleza y el estatuto de lo que los griegos llamaban *dóxa*, la opinión, puesto que no equivale exactamente a la posesión de una «verdad».

OPINIÓN Y VERDAD: LA «DÓXA» DE LOS GRIEGOS

En griego, *dóxa* tiene varios significados: en primer lugar, significa la opinión en el sentido de creencia: yo o nosotros tenemos tal o cual opinión. Pero el término designa asimismo la fama, la reputación e incluso la gloria. Hannah Arendt hace especial hincapié en esta última acepción, ya que ve en ella un elemento fundamental del ámbito político, en el que las personas se aparecen unas a otras.

> Para los griegos poder mostrarse, ser visto por los demás y, en consecuencia, brillar, ser escuchado y hacer valer la propia opinión era el privilegio por excelencia ligado a la vida pública como tal y negado a la vida privada del hogar, donde nunca nadie nos ve ni nos escucha [...] En la vida privada estamos ocultos a nosotros mismos, no podemos mostrarnos ni brillar; ninguna *dóxa* es posible.[1]

[1] Hannah Arendt, «Philosophie et politique», trad. Françoise Collin, *Les Cahiers du Grif*, n.º 33, 1986, p. 88.

Por último, si ponemos el acento en la forma verbal, *doxázein* (aquí en infinitivo) significa 'opinar-juzgar', producir una valoración, sopesar opiniones, deliberar.

De lo que acabamos de señalar sobre Platón podemos concluir sin dificultad que condena de forma inapelable la opinión, cuyo reino, identificado con lo contingente, lo variable y lo condicionado, se opone en consecuencia al absoluto de la verdad. Por supuesto, el propio Platón formula en otras obras algunos juicios más matizados: la opinión «recta», una especie de nivel intermedio entre la ignorancia (el error, el no-saber) y el conocimiento verdadero, se diferencia de la opinión patológica, totalmente negativa. Esta jerarquía de los saberes puede pensarse como una forma de moderar su radical hostilidad a la *dóxa*. Pero la puntualización se refiere sólo a la actividad del alma que en su búsqueda de la verdad atraviesa dificultades y tropiezos. En este sentido, más bien se da preeminencia al verbo *doxázein*, que constituye el signo del acto, del viaje del pensamiento en busca de la verdad.[1] En última instancia, prevalece la perspectiva ontológica y se considera que la opinión siempre es deficiente, tiene menos valor, porque los objetos sobre los que versa son inferiores a las Ideas de las que se ocupa el saber verdadero. De ahí el carácter a menudo peyorativo que con posterioridad se atribuirá a todo lo que se asocia al ámbito de la *dóxa*: opiniones falsas o irreflexivas, conjunto de ideas recibidas y comúnmente aceptadas sin ningún fundamento racional. Su inferioridad es tanto epistémica como axiológica: conocimiento imperfecto y de menor valor.

[1] Sobre todo en *Menón*, donde Platón parece admitir que la opinión verdadera, la opinión recta, es un modo posible de conocimiento. Pero tal valoración está supeditada al trabajo del alma en su camino hacia la verdad. La opinión recta sería pues la capacidad de reconocer lo verdadero antes de conocerlo propiamente.

Aristóteles despoja a la *dóxa* de este sentido negativo al devolverla al terreno de la contingencia. Prestando atención a la forma verbal (opinar-juzgar), indica que se refiere a lo probable,[1] que no es lo verdadero sino más bien lo «plausible». Esta categoría se aplica a cosas que, pese a no ser necesarias, ocurren a menudo (o la mayoría de las veces) de una determinada manera. Pues el ámbito de lo contingente no se rige por la demostración científica, sino por «premisas plausibles». «Son cosas *plausibles* [*éndoxa*] las que parecen bien a todos, o a la mayoría, o a los sabios, y, entre estos últimos, a todos o a la mayoría, o a los más conocidos y reputados».[2]

A tenor de esta afirmación, la *dóxa* representa una especie de espacio de consenso, un fondo común previo a toda argumentación: un lugar común que es el lugar de lo común. Conviene aclarar que la referencia a los «sabios» no remite tanto a quienes poseen un saber específico como a aquellos cuya autoridad es comúnmente reconocida. Puesto que hay materias en las que la demostración científica, racional hasta la médula, es imposible, lo plausible y lo verosímil tienen valor. Es en esa esfera—y en particular en el ejercicio de la vida política (pública)—donde se ejerce la deliberación: una vez más, nunca se delibera sobre lo necesario y lo invariable, sino sólo sobre lo contingente, que puede ser diferente a como es.

Así pues, Aristóteles no se sitúa tan sólo en una perspectiva «epistémica» consistente en medir el grado de conocimiento o ignorancia en relación con la verdad, donde

[1] La raíz de *endoxon*, lo 'plausible', es la misma que la del verbo *doxázein* y la palabra *dóxa*, 'opinión'.

[2] Aristóteles, *Tópicos*, en: *Tratados de lógica*, vol. 1, introd., trad. y notas Miguel Candel, Madrid, Gredos, 2000, p. 90.

la *dóxa* siempre es deficiente o insuficiente, viene marcada con un signo negativo. El filósofo desvía la mirada hacia el horizonte de los asuntos humanos sobre los que es posible deliberar. En ese sentido, la *dóxa* implica pluralidad, sobre todo la de la interlocución y la práctica del lenguaje. Es en la ciudad donde las personas hablan y se hablan: seres vivos políticos que hablan, políticos porque hablan. ¿Qué ocurre entonces con el régimen discursivo propio de la ciudad? ¿Cuál es su relación con la verdad? ¿Es el discurso que consiste en decir la verdad, en hablar claro?

EL DISCURSO POLÍTICO Y SUS EQUÍVOCOS

Históricamente, la cuestión del lenguaje es fundamental en el marco de la ciudad: es el terreno que da forma al ejercicio de la palabra. Jean-Pierre Vernant, al caracterizar el universo espiritual de la *pólis*,[1] hizo de la preeminencia de la palabra el principal instrumento de poder. La palabra, medio de persuasión, desempeña un papel esencial en una sociedad donde los ciudadanos discuten cara a cara (dado su limitado número) y se produce el debate entre contrarios y la argumentación. La fuerza verbal se usa como arma destinada a influir en el pueblo en todos los lugares donde se ejerce el poder: la asamblea del pueblo, los tribunales, los juegos públicos. En este espacio de visibilidad, la retórica es a la vez la más antigua enemiga y aliada de la filosofía: enemiga porque siempre es posible que el arte de «hablar bien» se imponga a la preocupación de «decir la verdad».

[1] Jean-Pierre Vernant, *Les Origines de la pensée grecque*, París, PUF, 1962. [Existe traducción en español: *Los orígenes del pensamiento griego*, trad. Marino Ayerra, Barcelona, Paidós, 2011].

Los efectos de la persuasión confieren un poder formidable a quienes dominan esa técnica, «el poder de disponer de las palabras sin las cosas y de disponer de los hombres disponiendo de las palabras».[1] Ésta es en esencia la crítica de Platón, que dirige ante todo a esos maestros del simulacro que, a sus ojos, son los sofistas: viajando de ciudad en ciudad, venden a los jóvenes ricos de buena cuna un falso saber que les permitirá, por ejemplo, demostrar una tesis y su contraria.[2]

La condena de Platón resulta tan radical porque la formula en nombre de la trascendencia de la verdad, a la que sólo tiene acceso el método filosófico. El sofista practica el arte del simulacro y la mala imitación (la mala *mímesis*). Su virtuosismo retórico es un arte del engaño y la falsedad que recurre a la seducción y la adulación. En un nivel más profundo, lo que Platón desaprueba es la perversión intrínseca del discurso y el lenguaje políticos, que se encuentra en el corazón mismo de la existencia política, porque su verbo hunde sus raíces en la violencia. Por supuesto, los individuos superan sus arrebatos privados por medio del lenguaje, pero en las palabras de la *pólis* también puede cristalizar la conjunción de violencia y razón. La persuasión, que los griegos elevaron a la categoría de divinidad (*Peito*), se refiere tanto al acto de persuadir por medios honestos como al de engañar con argumentos de mala fe.

Precisamente por esta indisoluble combinación de discurso y violencia, el lenguaje político se identifica con la fal-

[1] Paul Ricœur, *La Métaphore vive*, París, Seuil, 1975, p. 15 [*La metáfora viva*, trad. Agustín Neira, Madrid, Trotta-Cristiandad, 2001, p. 17].

[2] Conviene al menos matizar las cosas. Aunque los sofistas no constituían una escuela de pensamiento homogénea, ciertamente compartían el interés por el lenguaje y la política. En este sentido, favorecían el ejercicio del debate democrático y la cohesión social.

sedad, llevada al extremo por los sofistas. En la retórica no hay nada rescatable, no hay una forma «correcta» de utilizarla, porque el arte de «hablar bien» elude siempre el objetivo de «decir la verdad». Como herramienta de persuasión, la retórica no es más que una habilidad orientada a la manipulación de los deseos y las voluntades.

Sin duda, Platón identifica un problema esencial. Por un lado, la política surge del hecho de que los individuos superan su violencia privada (como el ciclo interminable de venganzas que acompañan al linaje de los atridas y al que pone fin el juicio de Orestes) al reunirse, al poner en común las palabras y los actos, al someter a deliberación pública la organización del poder y la decisión. Por el otro, las palabras que sustentan la puesta en común y la superación de la violencia pueden conspirar con ella porque no son del orden de la prueba rigurosa y la racionalidad demostrativa. El objetivo último de la crítica platónica es condenar esos ámbitos, esos lugares conflictivos donde se conjugan el poder y la palabra, el sentido y la violencia, lo cual equivale a negar toda legitimidad y especificidad al discurso político, y a rechazar que la política pueda tener su propia manera de usar el lenguaje, que no es ni la de la verdad ni la de la filosofía. El ser humano, político y dotado del don de la palabra, sólo puede utilizar el lenguaje de un modo problemático: habla *a* al hablar *de*, habla *para* al hablar *con*.

¿Cómo afrontar esta dificultad? ¿Debemos aceptar la fragilidad potencial del discurso político o, por el contrario, intentar «depurarlo», librarnos de sus riesgos y peligros? En última instancia, esto conllevaría rechazar la naturaleza *interminable* del debate, el hecho de que la esfera pública nunca puede ser más que una confrontación de puntos de vista múltiples, discordantes y conflictivos. ¿Consiste la actividad política en eliminar los conflictos o en objetivarlos? ¿En disolverlos o en negociarlos? ¿Hay que procurar deshacerse del funcionamiento retórico del lenguaje político—lo que a la postre significa deshacernos de la experiencia política como tal—o hacernos cargo de su carácter vulnerable?

Éste es precisamente el camino que seguirá Aristóteles: intentar superar cierto uso «salvaje» de la palabra elaborando las reglas de comprensión común de los problemas comunes. Desarrollar el nivel de rectitud—el uso adecuado de la retórica—que permite a los ciudadanos compartir el lugar común que es la ciudad. Esta elección sugiere la existencia de una división esencial en lo tocante a la naturaleza y el estatus de la política, a su relación con la verdad. Una división cuyas huellas pueden rastrearse hasta nuestros días, tanto en las fluctuaciones del lenguaje ordinario y las opiniones corrientes como en el pensamiento filosófico, impulsado por la pretensión de verdad.

Según Aristóteles, ¿cuáles son los usos del discurso en la ciudad?, ¿cómo regularlo? Si el lenguaje toma conciencia de sí mismo, de sus reglas y del modo en que se usa dentro de la *pólis*, entonces hay que admitir que su origen se encuentra en un fondo común, una especie de tejido, de textura lingüística de la que todos participan. De ahí la necesidad de examinar la rectitud de las proposiciones enunciadas, de producir reglas, delimitar los usos legítimos de la palabra poderosa, distinguir la lógica de lo «verdadero»—propia del saber teórico y científico—de una lógica de lo «verosímil» y «plausible»—vinculada a los debates sobre la práctica y la experiencia—.

Como en Platón, el adversario de Aristóteles es la figura del sofista o el retórico, cuyo rasgo característico es afirmar la omnipotencia del *lógos* y cuyo más destacado exponente es Gorgias, quien declara que la retórica es el arte supremo, que—sin tener un objeto específico—manda sobre todas las demás artes: privadas de ella, estarían condenadas a la impotencia, porque es la retórica la que las hace valer. ¿Qué sería del arte del médico sin el prestigio de la retórica, gracias a la cual se gana el asentimiento del paciente? Y, ante la asamblea del pueblo, es el retórico quien será designado médico, «pues no hay materia sobre la que no pueda hablar ante la multitud con más persuasión que cualquier otro».[1] El privilegio del orador es poder hablar a todo el mundo sin distinción y sobre cualquier tema, para llegar a ser más persuasivo que cualquier profesional. Ésta es la prueba de que la retórica es omniabarcadora y en cierto modo todas las demás artes están sometidas a su autoridad. Platón denuncia este supuesto porque evidencia que la retórica no es más que el arte ilegítimo del simulacro y la impostura. Pero el argumento de Gorgias no carece de relevancia: ¿cómo puede un médico garantizar la eficacia de su tratamiento sin el asentimiento del enfermo? Y lo mismo ocurre con todo saber: sólo tiene autoridad si es reconocido. Gorgias señala con razón que el saber (o la competencia) se inscribe en unas relaciones más amplias que implican la aceptación y el reconocimiento de los seres humanos.

En cierto sentido, Aristóteles aceptará esta premisa: puesto que la retórica no tiene un objeto específico, el retórico—siempre que tenga cierta «cultura»—puede hablar con verosimilitud de todo. Y si existe una «técnica», no es la de un saber especializado, sino más bien la de una experiencia de las relaciones entre las personas. Al no pretender cientificidad alguna, la retórica está vinculada a la experiencia práctica: sería tan poco razonable aceptar razo-

[1] Platón, *Gorgias*, trad. Julio Calonge, Madrid, Gredos, 2010, 456c, p. 38.

namientos plausibles de un matemático como exigir a un orador que haga demostraciones concluyentes.[1] Esto significa—una vez más contra Platón—que la plausibilidad retórica es legítima allí donde la demostración científica es inoperante. El caso de Sócrates ha mostrado a las claras que la verdad—erigida en valor supremo—no se impone por sí misma. Al negarse a defenderse, Sócrates proporcionó a los partidarios de la retórica un argumento irrefutable: para ser reconocido, lo verdadero necesita de la fuerza de la palabra. Lo «verosímil puede no ser verdadero, pero lo verdadero no puede nada si antes no es verosímil».[2]

Aristóteles aborda directamente todos estos problemas y, en particular, el estatuto de la retórica, cuyo asunto último es la opinión, a saber, la relación entre discurso y poder. ¿Qué significa *persuadir*? ¿Son iguales todas las formas de persuasión? ¿Qué distingue el buen uso de la retórica de la adulación, la manipulación y las formas insidiosas de violencia? ¿Qué ocurre con la manipulación de la creencia? Todas estas preguntas nos obligan a examinar las nociones de «persuasivo» (y «persuasión»), de «plausible» y de «verosímil»: categorías que difieren de lo «verdadero», pero que están en juego siempre que se trata del uso público de la palabra, ante la asamblea del pueblo o los tribunales. Estos lugares no se rigen por las constricciones del conocimiento, y el tipo de prueba que les conviene no es la «necesaria», sino la «verosímil». Aristóteles se propuso, pues, teorizar sobre la «verosimilitud» y elaborar sus reglas. Una vez más, su análisis no es epistémico en sentido

[1] Véase *Ética a Nicómaco*, I, I, 1094b.

[2] Pierre Aubenque, *Le Problème de l'être chez Aristote*, París, PUF, 1991, p. 274 [*El problema del ser en Aristóteles*, trad. Vidal Peña, Madrid, Taurus, 1974, p. 265].

estricto: se inscribe en las condiciones prácticas de la contingencia. ¿Qué modo de razonamiento debe aplicarse en materias y ámbitos en los que las cosas pueden ser, las más de las veces, diferentes a como son? Aunque el problema sea efectivamente, como en Platón, el de la conjunción de la razón, el discurso y la violencia, el modo de abordarlo, y *a fortiori* la respuesta, difieren.

El régimen lógico de lo «verosímil» es distinto del de lo «verdadero»: es el régimen de lo «común», del «lugar común» como lugar *de lo* común. Elaborar sus reglas es más crucial en la medida en que conciernen a las actividades ciudadanas más importantes: los juicios, la argumentación política a favor de una opción determinada, la elección de la paz o la guerra... Así pues, se trata de una palabra que debe controlarse y regularse, pero que está arraigada en el fondo común de la ciudad. Y para comprender lo que está en juego en este régimen lógico podemos referirnos a lo que escribe Aristóteles sobre la tragedia: es el lugar de una palabra verosímil, no de una palabra verdadera. En la *Poética* leemos esta asombrosa frase: «Es preferible imposibilidad verosímil a posibilidad increíble».[1]

¿Qué quiere decir Aristóteles? En primer lugar, que lo verdadero es una categoría de lo real, mientras que lo verosímil (lo que ocurre con más frecuencia, pero no necesariamente) pertenece a lo imaginario. Lo verosímil—que es también lo plausible, lo aceptable—debe resultar creíble para la opinión común: en este caso, el público del teatro. La ficción dramática inventa algo que pueda escuchar el auditorio.

De este modo, vemos que el vínculo entre lo verosímil y lo creíble se establece a través de lo «persuasivo». Lo

[1] Aristóteles, *Poética*, trad. Juan David García Bacca, Caracas, Universidad Central de Venezuela, 1982, cap. 24, 1460b, p. 141.

«persuasivo» es lo verosímil considerado en términos de su efecto en el espectador. Éste es, en definitiva, el criterio último de la representación (*mímesis*) trágica, que no duplica ni reproduce lo real, sino que *inventa* algo plausible y creíble. La representación trágica no es, pues, una copia o duplicación de lo real: al explorar lo posible, revela lo que podría ser diferente a como es. El papel del poeta no es decir lo que ha sucedido en realidad, sino lo que podría haber sucedido en el orden de lo verosímil.[1]

Por último, si existe una primacía de la verosimilitud en el arte (en este caso, la tragedia), es por el placer que experimenta el público: el placer es la finalidad del arte. Lo «persuasivo» es lo verosímil considerado como efecto, porque es la medida de lo «imposible» creíble, es decir, de lo que la actividad representativa lleva a cabo para hacer posible una irracionalidad vehiculada por el uso del lenguaje. Así es como en la tragedia, por ejemplo, el placer engendrado por el terror y la compasión se encuentra en una especie de punto de intersección: lo lamentable y lo espantoso caracterizan los hechos y su disposición en la obra, pero sólo alcanzan la representación cuando superan esta construcción y el espectador los experimenta: lo creíble que está disponible—una especie de reserva de sentido—hace que lo imposible sea posible, definiendo así lo «maravillosamente placentero». Ahí estriba el estatuto mixto del placer: en la confluencia de la obra y el público.

Se objetará que el discurso político difiere por entero de la actividad poética, y que el placer no es la finalidad última de una posible «verdad» pública. Pero la cuestión de lo persuasivo se plantea también en un punto de intersección: en la confluencia de lo que se dice y la apreciación del

[1] *Ibid.*, cap. 9, 1451b.

público al que va dirigido. Y, cuando Aristóteles se propone establecer los buenos usos y las reglas relativas a la palabra política, insiste en el carácter universal del consenso de aquellos a quienes se dirige. Aunque el punto de partida del razonamiento consista en «tesis probables», en «verdades de opinión» (*éndoxa*), exigen el reconocimiento de valores cuya universalidad se basa en el consenso de los seres humanos. Esta forma de universalidad es una cuestión de sabiduría práctica, que actúa de concierto con los posibles prácticos de la ética y la política. Basada en la pluralidad, casi podría calificarse de universalidad intersubjetiva.

A este respecto, la opinión tiene consistencia y constituye una reserva de sentido: «La retórica no se origina en un vacío de saber, sino en la plenitud de opinión».[1] En otras palabras, está vinculada al juicio y, como sugiere la etimología, a la función crítica (*krínein*: 'juzgar', 'cribar', 'ejercer la capacidad crítica'). Esta función crítica no es la «competencia»: la capacidad de cada cual para examinar y discutir un argumento, para acusar y defenderse se ve reforzada por el debate público, por el intercambio plural de opiniones. En todas las situaciones concretas en las que se aplica la retórica (la deliberación en una asamblea, el juicio en un tribunal, el ejercicio público del elogio o la condena) terminamos emitiendo juicios. Dadas estas condiciones, la retórica implica siempre una dimensión intersubjetiva: al dirigirse a un auditorio, no puede reducirse a esquemas argumentativos, habla *de* hablando *a*. La lógica de la verosimilitud no utiliza argumentos desencarnados, exige premisas probables y se despliega en situaciones singulares: lo verosímil (lo creíble) puede variar en función del público.

[1] Paul Ricœur, *La Métaphore vive*, *op. cit.*, p. 44 [*La metáfora viva*, *op. cit.*, p. 47].

Pero Aristóteles, pese a este contexto marcado por la incertidumbre, se cuida de no dejar espacio a la relatividad de las opiniones ni a la sumisión a las idiosincrasias. En cuanto a la verosimilitud, no todas las tentativas son iguales: hay que descartar lo verosímil mentiroso, la «falsa apariencia» de verosimilitud, y optar por lo «verosímil veraz». A continuación, prestaremos atención a los afectos, las emociones, los hábitos y las creencias, pero, a diferencia de los sofistas, Aristóteles desaconseja jugar con las pasiones: desconfía de la teatralización, de cierto patetismo oratorio, sabedor de que la persuasión está ligada a las disposiciones del público, que varían según sienta dolor o placer, simpatía u odio. Es necesario (aunque no sea un ideal de la razón, y menos aún una certidumbre) buscar el modo de apaciguar las pasiones, porque el poder de la palabra actúa de concierto con la imperfección moral de los oyentes…

Así pues, todo el trabajo de la retórica, la regulación de sus buenos usos, consiste en producir una verosimilitud veraz. Advertir contra los usos ilegítimos y saber defenderse de ellos forma parte de la educación cívica. Si es vergonzoso no saber defenderse con el cuerpo, igual de vergonzoso es no saber hacerlo con la palabra, cuyo uso es más propio del hombre que el del cuerpo.[1] Ésta es, pues, la posición de Aristóteles, para quien «el lenguaje político es retórico no por vicio, sino por esencia».[2]

Este debate—históricamente situado—entre Platón y Aristóteles no deja de ser una matriz interpretativa. Por

[1] Aristóteles, *Retórica*, 1, 1, 1355b.

[2] Paul Ricœur, *Lectures 1: Autour du politique*, París, Seuil, Points Essais, 1999, p. 175.

supuesto, la configuración de pensamiento en la que se inscribe no es la nuestra, pero es necesaria una aclaración: el desacuerdo entre ambos pensadores, por profundo que sea, no implica ni la condena moral de la política, ni su identificación con el mal. La inferioridad de la contingencia es la marca de una imperfección ontológica. Para Platón la condena del simulacro, la obliteración de la *práxis* y la devaluación de la *dóxa* forman parte de una posición ontológica: el absoluto de la verdad está ligado a la primacía de lo Inteligible. Platón, como se ha dicho, sometió a juicio la existencia mundana, pero nunca desacreditó la política como tal. No abandonó el objetivo de una ciudad justa, bien ordenada, conforme al ideal: buscó someterla a una racionalidad epistémica, alineada con las exigencias de un saber inmutable. Por eso, la cuestión de la verdad guarda menos relación con la mentira que con la denuncia y erradicación del error y la ilusión.

Aristóteles, por su parte, teorizó la «excelencia» humana que la política permite actualizar. La existencia política nos hace humanos. Su insistencia en la contingencia que habita el ámbito de los asuntos humanos, en la *fragilidad* inherente a la acción, en la necesidad de un ejercicio compartido del juicio, conserva toda su actualidad: dibuja los contornos de un «régimen de verdad» propio de la política.

Sin embargo, Platón y Aristóteles comparten una misma «disciplina de pensamiento»: por problemática que resulte la relación entre verdad y política, no se resignan a «excluir la política del terreno de lo razonable que exploraban», ya que saben que:

> Si se declaraba lo político como algo malo, extraño, «otro», ajeno a la razón y al discurso filosófico, si se enviaba lo político al diablo, literalmente, sería la misma razón la que zozobraría. Porque

entonces no sería ya razón de la realidad y en la realidad, de una realidad humana que es plenamente política.[1]

Pese a sus diferencias fundamentales, ésta es la propuesta que nos llega de los griegos: cualquiera que sea la interpretación de la «verdad» de lo político, e incluso si la política real, tal como se practica en el día a día, está intrínsecamente ligada a la «no verdad», no podemos eludirla sin eludir la humanidad del ser humano: «Toda condena de la política como mala es en sí misma mentirosa, malévola, depravada, si deja de situar esta descripción en la dimensión del animal político».[2]

Sin duda, valía la pena recordar esta exigencia última del pensamiento griego para comprender el alcance de la ruptura que, con la modernidad, introduce una inflexión moral y vincula permanentemente la política con la mentira y la manipulación. Hemos de reconocer que la mayoría de nuestras representaciones comunes (e incluso eruditas) ya no se rigen por la disciplina de pensamiento de los griegos. La moralización de la sospecha ha conducido a una desconfianza radical hacia la política, agudizada en la actualidad por el auge de los populismos. Pero, desde los albores de la modernidad, la cuestión de la «verdad», o más bien de la «no verdad» de la política, ha encontrado su expresión más reveladora en el *maquiavelismo*.

1 Paul Ricœur, «Le paradoxe politique», en: *Histoire et vérité*, París, Seuil, 1955, p. 262 [*Historia y verdad*, trad. Alfonso Ortiz, Madrid, Encuentro, 1990, p. 231].

2 *Ibid.*, p. 275 [*ibid.*, p. 241].

EPISODIO 2: EL NOMBRE DE MAQUIAVELO O LA IRRUPCIÓN DEL MAL

El nombre de Maquiavelo—a través del maquiavelismo—es el síntoma más revelador de la condena moral de la política. Como escribió Leo Strauss al comienzo de su *Meditación sobre Maquiavelo*: «Si nos declaramos partidarios de la anticuada y simple opinión según la cual Maquiavelo fue un maestro del mal, no escandalizaremos a nadie; nos expondremos meramente a un ridículo benévolo o, por lo menos, inofensivo».[1] ¿Qué es el maquiavelismo, sino la extensión de esta opinión común a la política en su conjunto? ¿Acaso es necesario haber leído a Maquiavelo para saber que la política es maquiavélica? En última instancia, no sería necesario conocer su pensamiento, ya que es posible reducirlo a esa palabra grabada en el lenguaje. El problema, por consiguiente, no es tanto determinar lo que tiene de cierto como identificar y analizar el síntoma que cristaliza el término. ¿Por qué ha dado lugar a esa leyenda negra que, paso a paso, ha contaminado la naturaleza misma de la actividad política?

El maquiavelismo—mito y fantasía, más que concepto—es ante todo el índice de una representación colectiva propia del imaginario de la modernidad. Como demuestra su reiterado uso, es el nombre que se da a la política en la medida en que resulta indisociable de un conjunto de comportamientos perversos. Designa los artefactos y los maleficios del poder, los procesos por los que asegura su dominación y su influencia: el cálculo, la astucia, la mentira, las estratagemas, el aspecto manipulador de la política. De ahí ese imaginario que fantasea con el soberano

[1] Leo Strauss, *Meditación sobre Maquiavelo*, trad. Carmen Gutiérrez de Gambra, Madrid, Instituto de Estudios Políticos, 1964, p. 9.

maquiavélico como amo todopoderoso de súbditos desvalidos e indefensos.

El maquiavelismo no sólo caracteriza un determinado tipo de conducta política. De forma más general, encarna lo que la imaginación se representa cada vez que el poder se percibe como «radicalmente extraño, principio de acciones desconocidas e incognoscibles que, situado a una distancia infranqueable, determina contra su voluntad y para su desgracia la existencia común».[1]

Es más, esta acusación de los medios de la política concierne también a su naturaleza y su vocación: en la esencia del poder está el ser malvado, y en la de la política, el ser maléfica. El mito del maquiavelismo entraña la acusación de la política como tal: más allá de la desaprobación a los procesos, ésta se identifica con la inmoralidad. La inquietante extrañeza de la política no concierne sólo a los medios (tal vez inevitables) que utiliza, no atañe sólo a ciertos tipos de conducta, sino que inviste el ser mismo de la persona hasta adquirir una dimensión casi metafísica: «Bajo la apariencia de Maquiavelo, Satán sufre una metamorfosis. El mal se convierte en obra del hombre, un hombre nuevo que, en medio de esta vida terrenal, pone todo su arte en engañar a sus semejantes [...] con el único fin de ejercer su poder».[2]

¿Por qué el mal es obra del ser humano? Porque procede de una nueva ciencia que trastorna y disuelve el orden social. Esta cuasi trascendencia del mal encarnada por el nuevo poder del ser humano responde a la pérdida de la trascendencia divina, al desmoronamiento de la evidencia del

[1] Claude Lefort, *Le Travail de l'œuvre de Machiavel*, París, Gallimard, p. 77. Me remito aquí a los sólidos análisis que se ofrecen en esta obra, sobre todo en la segunda parte, pp. 71-151.

[2] *Ibid.*, p. 88.

mundo en todos sus aspectos (ontológico, antropológico, político). El problema no es sólo que se haya dejado atrás la visión teológico-política del mundo; también tiene que ver con el cambio de estatuto de la política instaurado por la ruptura moderna. Allí donde los griegos, como hemos dicho, veían en la comunidad política la condición para la realización de la «vida virtuosa», los modernos instauran una nueva forma de ver y representarse la existencia política. Su principal preocupación es ante todo la supervivencia, la conservación y la seguridad. Pues se enfrentan a un problema inédito: el de constituir y regular un orden político ajeno al orden de los fines. En este sentido, como veremos, se atribuye a Maquiavelo el inicio de esta modernidad, al sustituir la preocupación del «deber ser» por la de la «verdad efectiva». Reconociendo la condición menesterosa en la que viven los seres humanos, se pregunta por la forma de vida real, la manera en que viven y actúan.

A partir de entonces, el ser humano ya no es el ser naturalmente político y razonable que concibieron los antiguos, y el orden político ha dejado de estar supeditado a la disciplina de la razón para convertirse en un artefacto sometido a la disciplina de las necesidades. Sobre la base de esta inversión se establece la modernidad política: de la orientación hacia el «fin» a la determinación por el origen, a saber, las necesidades. La pregunta ya no es ¿con qué objetivo forman comunidades políticas los seres humanos?, sino ¿por qué razón se ven obligados a asociarse?

La pérdida de este anclaje en la naturaleza socava también el orden teológico-político medieval. Allí donde la trascendencia divina garantizaba la evidencia de un orden político cuyos fundamentos y normas eran incuestionables, la retirada de lo divino permite entrever la posibilidad de un poder humano que escapa a lo sagrado. Maquiavelo llega en un momento en que la visión religiosa del mundo toca a su fin, en que se desconfía de la representación de un plan de gobierno de la humanidad que depende de la Providencia y en que se concibe la posibilidad de un orden autónomo. Las relaciones políticas y sociales se convierten en el asunto de un poder liberado de toda referencia a la ley divina, que se quiere y se afirma como autoinstituido, emancipado de la moral y la religión.

Fue justo esta emancipación la que Maquiavelo reivindicó frente a la tradición del cristianismo. Adoptando un punto de vista del todo opuesto al principio establecido por san Agustín en *La Ciudad de Dios*—«[Dios] Escarnece a los escarnecedores y da su gracia a los humildes»—,[1] se rebela contra el menosprecio del mundo terrenal y la preeminencia otorgada a la gloria del más allá. El cristianismo, indiferente a las magnificencias y los poderes temporales, predica la humildad, con lo que eleva la vida contemplativa por encima de la vida activa: «Además, coloca el supremo bien en la humildad, en la abnegación y en el desprecio de las cosas humanas».[2] A diferencia de los antiguos, para quienes la bondad suprema residía en la grandeza del alma y la fuerza del cuerpo, la fuerza del alma es, a los ojos de la religión, lo que «permite soportar los males», más que el movimiento que conduce a las grandes acciones. Tales principios, al acentuar la fragilidad de los seres humanos, los disponen a caer más fácilmente presa de los malvados. Pues es fácil tiranizar sin miedo a personas que, para alcanzar el Paraíso, están dispuestas a recibir golpes sin devolverlos…

Al considerar este debilitamiento de la virtud antigua,

[1] Proverbios 3, 34.

[2] Maquiavelo, *Discursos sobre la primera década de Tito Livio*, trad. Ana Martínez, Madrid, Alianza, 2022, ed. digital.

Maquiavelo no sólo pretende rehabilitarla. Su propósito es refundar el ámbito de la política. Se sitúa en la encrucijada de dos inspiraciones. La primera toma nota de la novedad del mundo moderno: somos como marineros en busca de aguas y tierras desconocidas. La segunda pretende volver a un terreno familiar, pues necesitamos conectar de nuevo con la virtud de la Antigüedad y, sobre todo, restaurar la irreductible autonomía de la esfera política, un ámbito cuya consistencia no escapa a la razón y a la práctica de los seres humanos. Para que la reflexión y la práctica políticas sean posibles, hay que dejar de menospreciar el valor del mundo terrenal, considerado a partir de la decadencia de la naturaleza humana. Pues, desde esa perspectiva, los imperativos de la salvación movilizan todas las energías de los seres humanos, y la vida política no es más que un instrumento al servicio de un fin último: entrar en la ciudad celestial.

El cristianismo ha desequilibrado, pues, el mundo político haciéndolo ajeno a sí mismo. El doble esfuerzo de Maquiavelo consiste en devolver la política a su propia esencia (ésta es la inspiración de la Antigüedad) y combatir su sumisión a la tutela de una visión religiosa del mundo que le impone sus normas y sus exigencias. La realización de los fines de la ciudad terrenal (la ciudad política real) no se confunde con la de los fines de la ciudad de Dios.

¿Qué significa entonces el *realismo* maquiavélico?

> Me ha parecido más conveniente ir directamente a la verdad real de la cosa que a la representación imaginaria de la misma [...] porque hay tanta distancia entre cómo se vive y cómo se debería vivir que quien deja a un lado lo que se hace por lo que se debería hacer aprende antes su ruina que su preservación.[1]

[1] Maquiavelo, *El príncipe*, pról., trad. y notas Miguel Ángel Granada, Madrid, Alianza, 2000, cap. XV, p. 95.

Maquiavelo no dice que en política *haya que* hacer el mal ni que los hombres deban aprender a ser malos. Toma nota de la distancia que existe entre el deber-ser de la política y su objetivo real. Si en esta distancia sólo vemos la brecha insalvable entre el pragmatismo de la acción y las normas de la conciencia moral, entre la eficacia de las prácticas y la pureza de las intenciones, simplemente volvemos a la representación común del maquiavelismo y de los procedimientos maléficos del poder. Pero la visión de Maquiavelo es más compleja y problemática. Advierte la falta de coincidencia entre la imaginación de la ciudad ideal y las experiencias de la ciudad real. La primera es antipolítica, porque ignora las experiencias y vicisitudes propias de los asuntos humanos, que querría someter a principios ajenos a la existencia política misma.

Maquiavelo rechaza así la perspectiva de Savonarola, que pretendía establecer la ciudad perfecta en la tierra e intentó arrancar a Florencia de la corrupción reformándola a imagen de la Jerusalén celestial. Tras expulsar a los Medici del poder, entre 1494 y 1498 estableció una república teocrática, hasta que fue derrocado por el pueblo y pereció en la hoguera. Maquiavelo denuncia la confusión entre la exigencia moral y religiosa y el intento de restaurar la ciudad por este medio, porque los efectos de dicha operación resultan temibles. Al engendrar una distinción maniquea entre los buenos y los malos, entre el vicio y la virtud, la lógica de la depuración moral y espiritual del mundo no se contenta con la exterioridad de la ley, sino que pretende perseguir incluso las intenciones sospechosas. Pero Maquiavelo ataca también toda una tradición filosófica: la que, siguiendo cierta inspiración platónica, querría someter el orden político a las exigencias de la razón especulativa e instaurar normas ajenas a las que rigen la existencia política.

¿Cuál es entonces, según Maquiavelo, el régimen de verdad específico de la política? Tiene que ver con las condiciones en las que se despliega: en un espacio que es el de la apariencia, atravesado por ésta: «A casi todos los hombres satisfacen lo mismo las apariencias que la realidad, y muchas veces les agitan más las primeras que la segunda».[1] Las condiciones *fenoménicas* de la política hacen que ésta se desarrolle en lo visible, lo que no implica su justificación inmediata como disfraz engañoso (otra simplificación abusiva). Cuando Maquiavelo se pregunta por las cualidades del príncipe necesarias para conservar el poder y mantener cierta relación con el pueblo, sostiene que, en condiciones ideales, uno querría que fuera generoso en lugar de avaro, misericordioso en lugar de cruel, leal en lugar de perjuro, íntegro en lugar de hipócrita… Pero como la condición humana no permite poseer ni desplegar todas estas cualidades, es necesario entonces que el príncipe *parezca* tenerlas: «Le es necesario ser tan prudente que sepa evitar el ser tachado de aquellos vicios que le arrebatarían el Estado» y mantenerse a salvo de todas las cosas que puedan volverlo odioso o despreciable.[2] Maquiavelo somete, pues, estas cualidades (reales o supuestas) a la realidad efectiva: la acción está ligada a la apariencia porque se ejerce en un espacio de aparición, donde prima la representación que los seres humanos ofrecen de sí mismos.

Se objetará que, una vez más, se trata de mantener las apariencias necesarias para engañar y desconcertar a los súbditos. La política sólo puede avanzar disfrazada, como parece indicar la famosa metáfora del león y el zorro: el príncipe debe saber actuar por la fuerza, como el león, y

[1] Maquiavelo, *Discursos sobre la primera década de Tito Livio*, *op. cit.*

[2] Maquiavelo, *El príncipe*, *op. cit.*, cap. XV, p. 96.

proceder con astucia, como el zorro. Pero el recurso a la astucia—que es incuestionable—no se reduce ni a una recomendación psicologizante ni a un pragmatismo manipulador en la línea de «el fin justifica los medios». Maquiavelo no pierde de vista la consideración de los fines, pero sabe que las normas de acción no son inmutables, que han de adaptarse a las exigencias del momento. Hay una temporalidad en la acción. Actuar significa adaptarse a los tiempos, adaptar la manera de proceder a los contextos y las situaciones. Es lo que los griegos llamaban *kairós*: el momento oportuno. Por ejemplo, vemos a personas que utilizan los mismos medios y actúan de forma aparentemente idéntica. Si unos triunfan donde otros fracasan, es porque los primeros han adaptado su forma de actuar a los hechos del presente, mientras que los segundos no los han tenido en cuenta. Lo que determina la conducta política no es la justificación de la acción bajo la exigencia de los medios, sino su armonización con las circunstancias, con los acontecimientos, aquí y ahora.

Se trata, pues, tanto de una forma de pensar la acción como de la dimensión *fenoménica* inherente a la política. La acción no está sujeta a reglas inmutables, y menos aún, como querría la inspiración platónica, es conforme al modelo previo de un saber objetivo. El actuar no es un «hacer», porque la inestabilidad y la fragilidad de los asuntos humanos exigen una reinvención constante. Ésta es, según Maquiavelo, la verdad temporal de la acción política: nos enfrenta a la incertidumbre, al riesgo y a la iniciativa. Como dirá Hannah Arendt una y otra vez, la acción conlleva una doble «infinitud»: la que el hombre es capaz de iniciar como agente de la acción, y la que resulta de su inserción en la red de las relaciones humanas. La acción humana no sólo tiene lugar en el contexto de la contingencia, sino que además requiere que el agente aparezca, sea visto, oído y reconocido por los demás.

La política se juega en lo visible, y su régimen de verdad es el de lo *fenoménico*. Se despliega en un escenario abierto a todas las miradas. Así como «los espejos que dispuestos en círculo transforman una débil llama en espléndido espectáculo, los actos del poder reflejados crean una apariencia que es el lugar propio y en suma la verdad de la acción histórica».[1] Todo el mundo, escribe Maquiavelo, juzga más «por los ojos que por las manos, ya que a todos es dado ver, pero palpar a pocos: cada uno ve lo que pareces, pero pocos palpan lo que eres».[2] Ahora bien, desde el punto de vista de la política la división entre *ser* y *parecer* es irrelevante, porque el mundo es lo que parece ser: en él, ser y parecer coinciden. Todo lo que aparece se ofrece a la mirada de una pluralidad de seres, una multiplicidad de espectadores.

Este escenario común no es la superficie engañosa de un ser verdadero cuya auténtica profundidad habría que recuperar. Porque la apariencia, aunque siempre contiene un elemento de «semejanza», no se reduce a ella. El espacio público es un espacio de aparición, en el que las personas hablan y actúan manifestándose unas a otras. Arendt hizo de ese aparecer recíproco el corazón no sólo del modo de ser político, sino del mundo común: «La presencia de otros que ven lo que vemos y oyen lo que oímos nos asegura de la realidad del mundo y de nosotros mismos».[3]

[1] Maurice Merleau-Ponty, «Note sur Machiavel», en: *Signes*, París, Gallimard, 1980, p. 273 [*Signos*, trad. Gabriel Oliver, Barcelona, Seix Barral, 1964, pp. 270-271].

[2] Maquiavelo, *El príncipe*, *op. cit.*, cap. XVIII, p. 106.

[3] Hannah Arendt, *La condición humana*, trad. Ramón Gil, Barcelona, Paidós, 2016, p. 60.

El hecho de que a los seres humanos les «satisfaga» más la apariencia que la realidad no implica que la mistificación sea el corolario de las apariencias: si hubiera algún corolario sería más bien la ambigüedad. La apariencia conlleva de forma necesaria un elemento de semejanza, ya que sólo puede darse en el modo de «semejar a los demás», y la semejanza, sea cual sea, presupone la apariencia. En este sentido, hay en efecto falsas semejanzas, mistificaciones y máscaras. Pues todo lo que «aparece adquiere, en virtud de su propia condición para aparecer, una especie de disfraz que puede, aunque no tiene por qué, ocultarlo o desfigurarlo».[1]

Pero las falsas semejanzas siempre presuponen «verdaderas semejanzas», «vero-similitudes», que no son más que el modo en que los seres y las cosas se nos descubren y revelan bajo uno u otro perfil, uno u otro punto de vista. La apariencia está siempre abierta a una pluralidad de perspectivas. La «verdad efectiva» de la política reside en esta apariencia, en este aparecer, en esta modalidad primera de aparición ante los demás, a los que siempre es posible mostrar un artificio, mentir y manipular. Pero el artificio de la semejanza presupone la verdad de la apariencia.

Y, puesto que nada de lo que aparece se manifiesta a un único espectador capaz de reunir o totalizar todos los aspectos de lo real, la naturaleza fenoménica de la política excluye cualquier posición de dominio o privilegio. En este sentido, Maquiavelo bien podría ser el gran pedagogo, ya que la «verdad efectiva» de la política reside para él en un entrelazamiento, una imbricación o, mejor aún, una entre-pertenencia que deconstruye *de facto* la visión binaria del amo todopoderoso frente a la impotencia radical

[1] Hannah Arendt, *La vida del espíritu*, trad. Carmen Corral y Fina Birulés, Barcelona, Paidós, 2011, pp. 45-46.

de los súbditos. El príncipe no es dueño de la representación que desea ofrecer a los demás, que éstos le devuelven en un juego de espejos necesariamente inestable. Sus cualidades—verdaderas o supuestas—están condenadas a una ambigüedad consustancial: ofrecidas a la mirada humana en un espacio de aparición, son las que la opinión pública le reconoce. Ello demuestra lo lábil que es el poder y lo inestable de su control: exige el asentimiento, el reconocimiento y el juicio de la imagen que se presenta. Tal régimen de verdad resulta irreductible a los términos de la condena moral. El príncipe se constituye como tal en relación con sus súbditos, y los súbditos se consideran tales con respecto al príncipe. De esta relación procede, entre otras cosas, la transformación—la *transfiguración*—de las experiencias propias de la vida pública, en las que estamos precisamente *con* otros (a favor o en contra, no es eso lo importante), y donde nos revelamos los unos a los otros. Ésta es la «verdad» de lo político. A través de su dimensión fenoménica, nos remite al ejercicio del juicio y la opinión, y a las condiciones del mundo común.

3
LA VERDAD DE LO POLÍTICO

Al final de este recorrido, una pregunta sigue sin respuesta: ¿cuál es el contenido de esta verdad cuya relación con la política resulta tan problemática? El conflicto tradicional entre verdad y política se refería a la verdad «ontológica», filosófica o especulativa, o incluso científica. Pero el análisis nos ha mostrado que el problema crucial no es tanto la verdad racional, subordinada a lo inteligible, como la formación de la opinión y el juicio.

Aristóteles revaloriza la *dóxa* al insistir en la contingencia del ámbito de la acción, regido por la opinión recta y la pluralidad. En cuanto a Maquiavelo, deja claro que la política se juega en lo visible y que su dimensión fenoménica implica también una reflexión sobre el estatuto de la opinión. En ambos casos, la cuestión de la «verosimilitud» ('verdadera-semejanza'), inherente al mundo de los asuntos humanos, ocupa el lugar central del análisis. Pero esta observación no niega la división entre lo verdadero y lo falso, más bien muestra que el régimen de verdad de la política no es el que prevalece en el ámbito de lo necesario (verdades racionales o probadas). Indisociable de la acción y la pluralidad de la condición humana, se articula, como tal, en torno a la consideración de la *dóxa* y a la búsqueda de opiniones rectas o bien fundadas.

¿Cómo situar la postverdad en relación con esta perspectiva? ¿La indiferencia ante la verdad y el carácter inesencial de la división entre lo verdadero y lo falso se inscriben en el trayecto descrito hasta ahora? ¿Se trata de un nuevo avatar de la accidentada historia que acabamos de recorrer? ¿O debemos plantearnos la cuestión desde otra perspectiva?

VERDADES RACIONALES Y VERDADES FACTUALES

Como hemos visto, la cuestión de la postverdad ha emergido con fuerza en la actualidad merced a dos acontecimientos que han puesto en cuestión no sólo la noción de verdad, sino también la de verosimilitud: la campaña del Brexit y los episodios que rodearon a la primera elección de Donald Trump (en particular, la aparición de «hechos alternativos»). Estos acontecimientos han socavado no tanto la verdad científica o racional, sino lo que Hannah Arendt denomina «verdad factual», que en la época contemporánea es objeto de un importante conflicto con la política, un conflicto «que se produce hoy en tan gran escala».[1]

La introducción de la noción de «verdad factual» desplaza lo que se juega en el antagonismo tradicional entre verdad y política. Cuando Hobbes, uno de los fundadores de la filosofía política moderna, analiza las relaciones entre verdad y poder, introduce una distinción esencial entre diversos tipos de verdad: las verdades que se derivan de la facultad de razonar no son de la misma naturaleza que las que proceden de las opiniones. Al final del *Leviatán* leemos:

> En todas las deliberaciones y en todos los pleitos se precisa un razonamiento sólido, ya que sin él las resoluciones son preci-

[1] Hannah Arendt, «Verdad y política», artículo publicado por primera vez en *The New Yorker* en febrero de 1967, que se incluyó en *La Crise de la culture*, trad. Patrick Lévy, París, Gallimard, 1972, p. 300 [*Entre el pasado y el futuro: ocho ejercicios sobre la reflexión política*, trad. Ana Poljak, Barcelona, Península, 1996, p. 248].

pitadas, y las sentencias injustas: por último, si no existe una elocuencia poderosa, que asegure la atención y el consenso de los circunstantes, el efecto de la razón será insignificante. Ahora bien, éstas son facultades contrarias; la primera está fundada en principios de verdad; las otras, en opiniones recibidas, verdaderas o falsas, y en pasiones e intereses de los hombres, que son diferentes y mutables.[1]

En política, el dominio de las pasiones y de los intereses prevalece sobre la razón recta:

Ésta es la causa de que la doctrina de lo justo y lo injusto sea objeto de perpetua disputa, por parte de la pluma y de la espada, mientras que la teoría de la línea y las figuras no lo es, porque en tal caso los hombres no consideran la verdad como algo que interfiera con las ambiciones, el provecho o las apetencias de nadie. En efecto, no dudo de que si hubiera sido una cosa contraria al derecho de dominio de alguien, o al interés de los hombres que tienen este dominio, el principio según el cual los *tres ángulos de un triángulo equivalen a dos ángulos de un cuadrado*, esta doctrina habría sido, si no discutida, al menos suprimida, quemándose todos los libros de Geometría, en cuanto ello hubiera sido posible al interesado.[2]

Pese a constatar que los debates y las disputas políticas tienen por objeto valores ligados a intereses y afectos, es decir, juicios y opiniones, Hobbes señala que si un poder considerara molestas las verdades racionales también podría ponerlas en cuestión: es lo que ilustra la condena

[1] Thomas Hobbes, «Resumen y conclusiones», en: *Leviatán o la materia, forma y poder de una república eclesiástica y civil*, trad. Manuel Sánchez Sarto, Buenos Aires, FCE, 2005, p. 577.

[2] *Ibid.*, p. 84.

de Galileo por parte de la Iglesia, un ataque premoderno basado en un dogma teológico-político. También los regímenes totalitarios han brindado ejemplos: uno de los más tristemente célebres es la pseudoteoría de Lysenko, que en nombre de la «ciencia proletaria» rechazaba los logros de la genética, calificada de «ciencia burguesa», y en particular la idea de que los fenotipos no son hereditarios. Pero, como demuestran las medidas adoptadas por Donald Trump en su primer mandato contra los científicos estadounidenses de la Agencia de Protección del Medio Ambiente, un gobierno democrático no duda en atacar la verdad científica cuando ésta pone trabas a una política industrial que favorece las energías contaminantes.[1]

Estos ejemplos son ciertamente marginales, en la medida en que la época moderna ha proclamado la autonomía de la ciencia con respecto al poder político y ya no considera, como Platón, que el conocimiento de la verdad rija la totalidad de la conducta humana. El filósofo griego suponía que quien decía la verdad—o, como Sócrates, se enfrentaba a la ciudad, donde reinaban las opiniones ilusorias y cambiantes—enunciaba, a través de esa inmutable verdad de razón, el «principio del pensamiento ético occidental».[2] Sin embargo, en nuestras sociedades modernas, las verdades de razón no se rechazan: al contrario, se validan como verdades matemáticas o científicas. El problema es otro: tiene que ver con la impugnación y la negación generalizada de las verdades de hecho, es decir, de las relativas a acontecimientos contingentes, a hechos que han ocurrido o que

[1] Sobre este tema, véase «Les scientifiques américains, cible d'une chasse aux sorcières», *Le Monde*, 24 de diciembre de 2017.

[2] Hannah Arendt, «Verdad y política», en: *Entre el pasado y el futuro*, *op. cit.*, p. 256.

se observan, pero cuya necesidad no se impone, es decir, su contrario es posible: hoy llueve, pero el tiempo podría haber sido bueno, podría haber hecho sol. Y las verdades de hecho se refieren sobre todo a los acontecimientos históricos y sociales, que también están marcados por la contingencia. Un hecho histórico sucedió, pero podría no haber ocurrido o haberse desarrollado de otra manera.

¿Por qué el conflicto gira esencialmente en torno a las verdades de hecho? Porque los hechos y los acontecimientos son «el producto invariable de personas que viven y actúan juntas», y como tales constituyen el tejido mismo de la esfera política. Y cuando el poder político manipula y borra los hechos no ataca a un adversario externo, no combate verdades racionales, sino que «da batalla en su propio terreno».[1]

La mutación radical del conflicto entre verdad y política en la época moderna pone en juego, por lo tanto, verdades factuales, en razón (según la hipótesis de Arendt) de la extensión pública y política de la mentira organizada. Conocemos ya las prácticas propias de los regímenes totalitarios, que borraban de los libros de historia los nombres de los dirigentes eliminados, o retocaban fotos para hacer desaparecer a figuras oficiales que se habían vuelto indeseables. En los regímenes democráticos, la cuestión se presenta de otra forma: las verdades inconvenientes o inoportunas se convierten en «opiniones» que es posible sostener sin necesidad de basar en hechos indiscutibles. Eso hace posible, por ejemplo, afirmar que los alemanes no apoyaron en masa

[1] *Ibid.*, p. 243. Sin embargo, hay que matizar esta observación. En nuestras sociedades contemporáneas, el renacimiento y fortalecimiento de los integrismos religiosos ha llevado a rechazar los descubrimientos científicos en nombre de la primacía de las verdades reveladas. Para los creacionistas, la religión explica la creación del mundo mucho mejor que los descubrimientos científicos.

a Hitler, el Vaticano no mostró pasividad ante el exterminio de judíos de Europa o—lo que resulta aún más escabroso—las cámaras de gas no fueron más que un «pormenor» de la Segunda Guerra Mundial e incluso tal vez ni siquiera existieron, como sostienen los negacionistas.

La transformación de estas verdades de hecho en opiniones afecta a acontecimientos de crucial importancia política. Pone en juego la existencia de una realidad común a la pluralidad humana, una realidad reconocida y compartida. Ya no se trata de un conflicto entre la verdad racional y la mentira o la falsificación, sino de una tendencia a convertir los hechos en opiniones, «a desdibujar la línea divisoria entre unos y otras».[1] La dificultad del problema aumenta cuando las verdades de hecho están en el centro de los asuntos humanos, en el corazón del mundo en que vivimos. Nos asalta la sospecha de que el campo político encierra en su seno un conflicto irreductible. Como si le fuera inherente la negación o la perversión de toda forma de verdad, «como si los seres humanos fuesen incapaces de llegar a un acuerdo con la pertinacia inconmovible, evidente y firme de esa verdad».[2] Así pues, la política tendría una incapacidad fundamental para escuchar la verdad, aunque fuera la verdad de los hechos—constatación desesperante—. El antagonismo se sitúa en el interior mismo del ámbito político, lo que extrema la dificultad.

LA VULNERABILIDAD DE LAS VERDADES FACTUALES

La verdad factual no se descubre en solitario: está relacionada con circunstancias, con acontecimientos en los que

[1] *Ibid.*, p. 249. [2] *Ibid.*, p. 250.

interviene una pluralidad de individuos. Sólo existe si está probada: se basa en testimonios, se comparte a través del discurso y el lenguaje y, por lo tanto, se inscribe en la pluralidad humana. En este sentido, es política por naturaleza: tanto los hechos como las opiniones (aunque haya que distinguirlos) forman parte de esta pluralidad. Su proximidad se deriva de que los hechos son la materia de las opiniones, y de que éstas sólo son legítimas a condición de que respeten las verdades de hecho: «La libertad de opinión es una farsa a menos que se garantice la información objetiva y no estén en discusión los hechos mismos».[1]

No existen los hechos «puros»: desde un punto de vista histórico sólo pueden ser «interpretados», extraídos del desorden, de una especie de caos, para ser organizados en un relato, en una «historia» que les otorgue sentido y forma. Pero esta configuración de los hechos (vinculada a elecciones) no suprime la realidad fáctica ni borra la división entre los hechos, la interpretación y la opinión. Arendt pone el ejemplo de una conversación entre Clemenceau y un representante de la República de Weimar sobre quién fue el responsable del estallido de la Primera Guerra Mundial. No podemos anticipar, respondió Clemenceau, lo que dirán los historiadores del futuro, pero una cosa es segura: no podrán mantener que Bélgica invadió Alemania. Se trata de un «dato rudamente elemental», aparentemente inalterable.[2]

Pero hace tiempo que sabemos que incluso este tipo de datos son vulnerables. No tuvimos que esperar a la aparición de la postverdad para comprobarlo, no sólo en las experiencias totalitarias, sino también en las numerosas «reescrituras» políticas de la historia. El historiador no ignora

[1] *Id.* [2] *Ibid.*, p. 251.

que la realidad contingente en la que vivimos no está ni mucho menos asegurada: puede traicionarse a través de mentiras, distorsionarse por medio de la propaganda, convertirse en ficción para disimularse o simplemente olvidarse.

Todo parece indicar que las verdades factuales—al igual que las racionales—resultan problemáticas para la política: por un lado, son políticas por naturaleza porque se inscriben en la pluralidad, el debate y el intercambio de experiencias. Comparten esta característica con la opinión (*dóxa*). Pero, por otra parte, difieren de la opinión y comparten con las verdades racionales cierta forma de afirmar su validez: se imponen y, por lo tanto, conllevan un elemento de exigencia. Afirmaciones como «la suma de los tres ángulos de un triángulo equivale a dos ángulos de un cuadrado» o «Trump fue elegido por primera vez presidente de Estados Unidos en noviembre de 2016» no se refieren a verdades de la misma naturaleza, pero tienen algo en común: una vez declaradas verdaderas, no son objeto de discusión, no están sujetas a debate, se encuentran «más allá del acuerdo, la discusión, la opinión o el consenso».[1] La verdad, sea cual sea su naturaleza, es vinculante. Y lo mismo ocurre con la verdad factual que con la racional o científicamente demostrada: «Exige un reconocimiento perentorio y evita el debate, y el debate es la esencia misma de la vida política».[2]

Éste es el meollo de la cuestión: las verdades de hecho se imponen y se sitúan más allá del consenso, mientras que las opiniones incómodas o inoportunas siempre pueden discutirse, rechazarse o negociarse. Las verdades de hecho son, en este sentido, «antipolíticas» y distintas de las opiniones. Pero la tensión no proviene de que la política sea

[1] *Ibid.*, p. 252. [2] *Ibid.*, p. 253.

mentirosa o manipuladora, ni siquiera de que pueda constituir el reino de las opiniones subjetivas, sino que se debe al carácter *representativo* del pensamiento político, es decir, a que nos formamos opiniones y juicios teniendo presentes las posiciones de quienes están ausentes. De este modo, contemplamos las cuestiones desde distintos puntos de vista y las abordamos desde perspectivas diversas. Intentamos pensar, como decía Kant, poniéndonos «en el lugar de cualquier otro».[1] Esta capacidad de ampliar nuestro modo de pensar no se confunde con la empatía, ni implica alinearse con la postura de la mayoría, ni es una forma de proximidad sociológica. No pretendemos adoptar los puntos de vista *reales* de quienes están en otro lugar, en el que observan el mundo desde una perspectiva necesariamente distinta. Tampoco pretendemos compartir la inmediatez de sus sentimientos o emociones. Pero la naturaleza del «pensamiento representativo» que caracteriza la política pone de relieve su potencial antagonismo con los condicionamientos de lo verdadero.

El pensamiento representativo y el juicio político se basan en la discusión y el debate. Requieren el horizonte de la presencia de los demás, la capacidad de acceder al punto de vista de los otros a través de la imaginación. Comprometen y confirman el estatus plural de la condición humana, porque el mundo—el *inter-esse*, las relaciones entre los seres humanos—sólo surge bajo la condición de una pluralidad de perspectivas.

Esto confirma que, si bien el pensamiento político es representativo, no remite tanto a la cuestión de la verdad como a la de la capacidad de juzgar y opinar (formarse opi-

[1] Immanuel Kant, *Crítica del juicio*, trad. Manuel García Morente, Madrid, Austral, 2001, § 40, p. 245.

niones). Sin embargo, que el carácter representativo entre en tensión con la evidencia vinculante de la verdad—ya sea racional o factual—no implica que se rechacen ni desdeñen las verdades de hecho, ni que se afirme su carácter inesencial o secundario. Recordemos lo que sostenía Arendt: las opiniones remiten a hechos, sólo son legítimas cuando se basan en verdades factuales. Así pues, el verdadero peligro—de la esfera política—es la transformación de las verdades de hecho en opiniones, que permite deshacerse de su evidencia factual y rechazarlas. Este proceso, arraigado en la tendencia relativista del «todo vale», es el que hace tan vulnerables las verdades de hecho, y a su vez altera el concepto de opinión pública: mientras que los pensadores de la Ilustración (y Kant en particular) veían en el juicio del público el vector de una emancipación crítica, en la actualidad el espacio común donde desarrollar el *sensus communis*—la forma ampliada de pensar basada en el uso público de la razón—tiende a quedar sustituido por una diversidad indiferenciada de valores.

Se objetará que ciertas verdades se imponen y se proclaman como tales incluso en el seno mismo del ámbito político, como atestiguan, por ejemplo, las palabras de la Declaración de Independencia estadounidense de 1776:

> Sostenemos como evidentes estas verdades: que todos los hombres son creados iguales; que son dotados por su Creador de ciertos derechos inalienables; que entre éstos están la vida, la libertad y la búsqueda de la felicidad; que para garantizar estos derechos se instituyen entre los hombres los gobiernos, que derivan sus poderes legítimos del consentimiento de los gobernados.

La redacción «Sostenemos como evidentes estas verdades» indica que la supuesta «evidencia» de la proposición no es vinculante: requiere el asentimiento, el consenso, la adhesión de quienes la suscriben. Si la igualdad tiene un significado político, éste depende del juicio compartido, no de la verdad. Que la libertad sólo es posible entre iguales (como ya afirmaban los griegos) es un presupuesto fundamental, una elección cuya validez sólo queda garantizada al término de un acuerdo vinculado al pensamiento representativo. La persuasión—y en este punto volvemos a la posición aristotélica—es pues un factor ineludible.

MENTIRA, CAPACIDAD DE ACTUAR Y LIBERTAD

¿A qué se opone la verdad factual? Su contrario no es ni la ilusión ni el error, ni siquiera una opinión errónea sostenida de buena fe. Su contrario es la mentira. Ciertamente, hay que imputar a la vulnerabilidad de los hechos la tentación del engaño y la falsificación. La mentira es a menudo más verosímil, incluso más tentadora, que la realidad, porque anticipa lo que el oyente o el público quiere oír; se aprovecha de lo creíble, mientras que la realidad «tiene la desconcertante costumbre de enfrentarnos con lo inesperado, con aquello para lo que no estamos preparados».[1]

Pero el arte de mentir no sólo atañe a los medios tradicionalmente asignados al ejercicio del poder. La capacidad de mentir—de negar o distorsionar los hechos—tiene afinidades con la aptitud humana para transformar lo real mediante la acción. Actuar es emprender algo nuevo: no *ex nihilo*, sino destruyendo o sustituyendo lo que existía antes, mo-

[1] Véase Hannah Arendt, «La mentira en política», en: *Crisis de la República*, trad. Guillermo Solana, Madrid, Trotta, 2023, ed. digital.

dificando el estado de las cosas. Ahora bien, si estas transformaciones son posibles es porque poseemos la facultad de distanciarnos mediante el pensamiento de lo que nos rodea, de *imaginar* que las cosas podrían ser de otro modo: «En otras palabras, la deliberada negación de la verdad factual—la capacidad de mentir—y la de modificar los hechos—la capacidad de actuar—se hallan interconectadas. Deben su existencia a la misma fuente: la imaginación».[1]

Puesto que somos seres con iniciativa, dotados del poder de comenzar e innovar—de romper el continuo temporal y el orden del mundo tal como es—, ponemos a prueba la coincidencia entre esta capacidad de comenzar y nuestra experiencia de la libertad. Somos *libres* para cambiar el mundo e introducir en él algo nuevo e imprevisible: «En otras palabras, nuestra capacidad para mentir—pero no necesariamente nuestra capacidad para ser veraces—es uno de los pocos datos evidentes y demostrables que confirman la libertad humana».[2]

¿Qué hace el mentiroso sino aprovecharse de este parentesco entre la mentira y la capacidad de actuar, entre la transformación de lo real y su falsificación? El mal uso, la perversión o la desnaturalización de esta facultad humana primigenia pueden ser objeto de condena moral, pero ésta es estéril e impotente, ya que la mentira también deriva de la libertad de actuar, que tergiversa y desnaturaliza. Hay que partir de esta constatación para comprender la paradoja inherente a la política, una paradoja que no puede reducirse a las artimañas y ardides del poder, a los medios asociados de forma tradicional con el ejercicio de la dominación.

[1] *Id.*

[2] Hannah Arendt, «Verdad y política», en: *Entre el pasado y el futuro*, *op. cit.*, p. 263.

¿Debemos concluir entonces—por medio de una suerte de tautología—que «quien dice la verdad»—en el ámbito narrativo o simplemente en la declaración de opiniones dichas de «buena fe»—se limita a redoblar la realidad tal cual es, sin introducir cambio alguno en el mundo? Si el mentiroso es un hombre de acción, ¿acaso quien dice la verdad se contenta con decir lo que es? ¿Es ajeno a la preocupación por actuar e incapaz de introducir cambios? Sabemos que no es así, y numerosos ejemplos lo atestiguan, empezando por la exigencia de «publicidad» reivindicada por los ilustrados, convencidos de que era posible garantizar la justicia frente a la arbitrariedad del poder mediante el «uso público de la razón» (Kant) y la libre circulación de ideas y opiniones.

Más recientemente, en el espacio democrático, además de las informaciones divulgadas por la prensa, los denunciantes (o *whistleblowers*) pretenden sensibilizar a la opinión pública sobre la negación de los derechos e intereses de los ciudadanos que implican las prácticas secretas del poder estatal. Cabe señalar que la propia Hannah Arendt se vio impulsada a reflexionar sobre la mentira en política a raíz de la publicación de los Documentos del Pentágono en *The New York Times* y *The Washington Post*. Estos documentos secretos, que revelaban la estrategia política y militar de Estados Unidos durante la guerra de Vietnam, los fotocopió y filtró a la prensa Daniel Ellsberg, analista del Departamento de Estado y del Pentágono. Así salió a la luz que el Gobierno estadounidense había mentido, prolongado deliberadamente la guerra y ocultado correspondencia con dirigentes vietnamitas sin recibir luz verde del Congreso.[1]

[1] A raíz de las revelaciones contenidas en estos documentos, Han-

La propia Arendt admite que, en determinadas condiciones, decir la verdad, lo sepamos o no, es comenzar a actuar y dar un primer paso para cambiar el mundo. Por razones históricas obvias, se refiere sobre todo al contexto de los sistemas totalitarios. Sin embargo, como acabamos de ver, esta observación puede hacerse extensiva al ámbito de las experiencias democráticas. No obstante, es necesario precisar las condiciones históricas y políticas en las que interviene quien dice la verdad. En todos los casos, su posición será más incómoda que la del mentiroso, que puede anticipar el deseo o la expectativa del público. Pero cuando toda una sociedad está sometida a una mentira organizada, como en las sociedades totalitarias, la red de mentiras cubre por completo el tejido de lo real, de modo que todos los individuos a quienes va dirigida la mentira se ven obligados a ignorar la frontera que separa la verdad de la mentira para sobrevivir: «No importa lo que sea verdadero o falso si la vida de cada uno depende de que actúe como si lo creyera verdadero. La verdad en la que puede confiarse desaparece enteramente de la vida pública y con ella el principal factor estabilizador en los siempre cambiantes asuntos humanos».[1] En otras palabras, la desaparición de la frontera entre lo verdadero y lo falso entraña la desaparición del mundo común, del espacio en el que pueden compartirse las experiencias.

El fenómeno de la «disidencia» ilustra de forma notable cómo actúa «quien dice la verdad». En la sociedad postotalitaria que describe Václav Havel, el poder pervierte

---

nah Arendt publicó el artículo «La mentira en política. Reflexiones sobre los Documentos del Pentágono» en *The New York Review of Books*, incluido posteriormente en *Crisis de la República*.

[1] Hannah Arendt, «La mentira en política», en: *Crisis de la República*, *op. cit.*

y destruye el sentido mismo de la política, hasta tal punto que, para recuperarlo, primero es necesario «decir la verdad», formular en voz alta las opiniones, expresar los intereses y las necesidades de la sociedad para resistir al mal de la mentira oficial. Las prácticas del poder no son sólo prácticas de falsificación, sino que funcionan de tal manera que todos sin excepción están implicados sea cual sea su posición en la jerarquía. Por supuesto, cuanto más poder tienen más implicados están, pero la frontera entre «saber» y «no saber» divide *de facto* el interior de cada individuo. La fuerza de atracción casi hipnótica de la ideología es incluso más poderosa que los instrumentos de coerción manifiesta (que, por supuesto, siguen existiendo), porque ofrece respuesta a cualquier pregunta. La implicación de todos contribuye a establecer la norma general y es un elemento esencial de la entropía política. Todos son a la vez víctimas y cómplices del sistema, todos son esclavos del miedo y verdugos aterrorizados, porque el poder mismo es cautivo de sus propias mentiras, de modo que las relaciones de poder se trasladan al interior de los sujetos.[1]

En estas condiciones, la disidencia es una experiencia singular—tanto un ejercicio de pensamiento como una ac-

1 Václav Havel, *El poder de los sin poder*, trad. Vicente Martín Pindado, Madrid, Encuentro, 1990. A este respecto Michel Foucault hizo una observación del mismo orden, pero desde una perspectiva sin duda distinta, que según aclaraba debía a Solzhenitsyn: si los regímenes socialistas se mantienen, es precisamente porque todo el mundo sabe. No es porque los gobernados no sepan lo que está pasando, o porque algunos de ellos lo sepan y la mayoría no: si las cosas no cambian, es porque todos saben y son conscientes de la evidencia de lo que está ocurriendo. Véase *Du gouvernement des vivants*, curso en el Collège de France 1979-1980, París, EHESS-Gallimard-Seuil, pp. 16-17. [Existe traducción en español: *Del gobierno de los vivos. Curso en el Collège de France (1979-1980)*, trad. Horacio Pons, Buenos Aires, FCE, 2014].

tividad práctica—, porque responde a la particularidad histórica de un sistema que vacía de sentido la idea misma de un modelo político alternativo. Por lo tanto, puede estar justificado oponer al reino de la falsificación generalizada el deseo casi existencial, «prepolítico», de una «vida en la verdad». Havel pone el ejemplo del gesto del tendero que coloca en su escaparate, entre las cebollas y las zanahorias, la pancarta «Proletarios del mundo, uníos». No es que le entusiasme la idea, ni que quiera comunicar algo sobre su visión del mundo, simplemente la pone porque la administración se la entregó con las verduras, «porque así lo hace desde hace años», porque «así tiene que ser», porque de hacerlo depende su tranquilidad,[1] que es el correlato, como dice Sócrates, de una vida «no examinada», alejada del cuestionamiento.

Supongamos que un día, en una ciudad mediana cubierta de ese tipo de pancartas que ya nadie lee pero todo el mundo cuelga, el tendero dejara de poner la suya. Su acto, aparentemente insignificante, sería en realidad muy peligroso desde el punto de vista de un sistema que universaliza la «vida en la mentira»: toda manifestación de la «vida en la verdad» amenaza su principio. Debemos recordar las circunstancias que llevaron a la publicación de la Carta 77 en Checoslovaquia: con motivo del encarcelamiento de los músicos de una banda de rock en 1976, el texto de la carta recordó públicamente al Gobierno de Husák, consagrado a «normalizar» el país tras la Primavera de Praga, que se había comprometido a respetar los derechos humanos al firmar (junto con los demás países de Europa del Este) el Acta Final de la Conferencia de Helsinki en 1975.

[1] Václav Havel, *El poder de los sin poder*, *op. cit.*, p. 21.

El gesto del tendero, por insignificante que parezca, daría testimonio, en un ámbito que podría calificarse de «prepolítico», de un rechazo a alimentar la norma general y a convertirse en cómplice del sistema. No es un gesto edificante: más bien podría calificarse de «ejemplar» y, en tal caso, el tendero, aunque no lo supiera, estaría realizando una labor política: habría empezado a actuar y estaría dando, como señalaba Arendt, un primer paso para cambiar el mundo.

Este modo de resistencia a la entropía política emana de los ciudadanos «corrientes» y no se basa tanto en una ética de la verdad como de la veracidad. En algunos casos, es el único punto de partida posible para oponerse a la gravitación de un sistema dado, pero no es sólo «moral», sino potencialmente político, porque da lugar (como han demostrado las experiencias históricas de disidencia) a múltiples iniciativas cívicas que logran transformar la realidad. Más allá de su singularidad histórica, estos modos de intervención procuran oponer a los efectos de la ritualización ideológica modalidades de subjetivación y elaboración de la relación consigo mismo.

MENTIRAS GENERALIZADAS Y VISIBILIDAD DE LA ESFERA PÚBLICA

El análisis de las formas actuales de mentira política demuestra que la manipulación generalizada afecta ya a todas las sociedades democráticas. Como hemos visto, se ha extendido a la reescritura de la historia, la fabricación de imágenes y las políticas gubernamentales. Y la historia contemporánea abunda en ejemplos en los que «quienes dicen la verdad» han sido o son considerados mucho más peligrosos que los opositores declarados. En las sociedades democráticas, añade Arendt, «el engaño sin autoengaño es imposible».[1] Esta observación no sólo va dirigida a lo que Gérald Bronner ha llamado recientemente la «democracia de los crédulos». En virtud del esquema cognitivo conocido como «sesgo de confirmación», el mercado actual de la información—y en particular la comunicación a través de internet y las redes sociales—difunde una enorme cantidad de informaciones no estructuradas que fomentan el aislamiento de los individuos en la esfera de sus convicciones preestablecidas: lejos de poder eventualmente refutar o rectificar las creencias espontáneas, las más de las veces la información encontrada refuerza las hipótesis (o preferencias) políticas previas. La profusión de la oferta en el «mercado cognitivo» no fomenta el desarrollo del pensamiento crítico, sino la intensificación de los prejuicios.[2]

Así pues, la tendencia contemporánea a esta forma de ceguera contravendría la hipótesis aristotélica de que el juicio común—que abarca una pluralidad de puntos de vista—es superior al juicio de una sola persona, por muy sabia o supuestamente omnisciente que sea. Pero, justamente, el mercado de la comunicación, tal como prolifera hoy día, tiene muy poco que ver con las condiciones de una deliberación o un intercambio colectivos que favorezcan la elaboración y el ejercicio de un juicio compartido.

En realidad, el problema no depende sólo de las condiciones actuales de la información y la comunicación, sino sobre todo del hecho de que la mentira política moderna es inherente a la propia *visibilidad* de la esfera pública.

[1] Hannah Arendt, «Verdad y política», en: *Entre el pasado y el futuro*, *op. cit.*, p. 269.

[2] Gérald Bronner, *La Démocratie des crédules*, París, PUF, 2013.

Mientras que las mentiras tradicionales estaban vinculadas a los *arcana imperii* ('secretos del poder'), las prácticas modernas y contemporáneas (que van más allá del caso de los sistemas totalitarios) se refieren a cosas conocidas por todos. El caso de manual es el negacionismo, es decir, la falsificación de lo real ante los ojos de quienes fueron testigos. O la manipulación de imágenes, que, lejos de limitarse a ofrecer una representación halagadora o maquillada, propone un *sustituto* de la realidad. De modo que «la diferencia entre la mentira tradicional y la mentira moderna» se reduce a menudo a «la *diferencia entre el ocultamiento y la destrucción*».[1] En este último caso, sin embargo, la propia realidad se ve socavada: el autoengaño no sólo afecta a uno u otro individuo, sino que es un hecho social e impregna la totalidad de lo real. Como señaló Durkheim, un hecho social se caracteriza por el poder de coerción colectiva que ejerce sobre el individuo: aunque éste participe en él, no se reconoce en el efecto global al que contribuye una mayoría.

Es fácil comprender el alcance de esta observación capital:

> Si las modernas mentiras políticas son tan grandes que exigen una completa reorganización nueva de toda la estructura de los hechos—la configuración de otra realidad, por decirlo así, en la que encajen sin grietas, brechas ni fisuras, tal como los hechos encajan en su contexto original—, ¿qué impide que esos nuevos relatos, imágenes y «no-hechos» se conviertan en sustituto adecuado de la realidad y lo factual?[2]

[1] Hannah Arendt, «Verdad y política», en: *Entre el pasado y el futuro*, *op. cit.*, pp. 265-266; las cursivas son mías.

[2] *Ibid.*, pp. 266-267.

Las metáforas utilizadas en este texto—grieta, brecha, fisura—aluden a ese hábitat que es la realidad en la que nos inscribimos. Debemos prestar atención a lo que señalan: la agresión, la ofensa infligida al mundo, a la posibilidad de habitarlo cuando una realidad ficticia (aunque no cualquiera, como veremos) sustituye al mundo de las relaciones que es el «suelo» sobre el que nos tenemos en pie.

Podría pensarse que esta advertencia sólo concierne a los sistemas totalitarios, en los que una ideología fantasmáticamente ficticia crea un mundo a la vez falso y coherente al que no puede oponerse la experiencia real. Arendt insistió en el hecho de que el pensamiento ideológico se libera de la experiencia, se emancipa de lo real, afirmando la existencia de una realidad que es más verdadera que la que captamos y percibimos. El pensamiento ideológico ordena los hechos según un procedimiento absolutamente lógico: partiendo de una premisa convertida en axioma del que se deduce todo lo demás, se obtiene una coherencia que nunca se encuentra en lo real. Una vez establecidos el punto de partida y las premisas, la experiencia real ya no puede oponerse al pensamiento ideológico y, a la inversa, el pensamiento ideológico ya no puede extraer la menor enseñanza de la realidad. Las ideologías son sistemas de elucidación de la vida y del mundo que pretenden explicar cualquier acontecimiento, pasado o futuro, sin referencia alguna a la experiencia real: «El pensamiento ideológico, en la medida en que es independiente de la realidad existente, considera todo lo fáctico como fabricado y, por lo tanto, ya no posee un criterio fiable para distinguir lo verdadero de lo falso».[1]

[1] Hannah Arendt, *Sobre la naturaleza del totalitarismo. Dos ensayos de comprensión*, ed. Jerome Kohn, trad. Roberto Ramos, Barcelona, Página Indómita, 2025, p. 98.

A primera vista parecería que existen analogías entre el «régimen de verdad» así descrito y ciertos elementos vinculados a la postverdad: considerar que los hechos son artefactos, reivindicar—por la proliferación de *fake news*—la existencia de «hechos alternativos» que pueden organizarse en un conjunto coherente y sustituir de manera adecuada la realidad. Es difícil ofrecer una traducción satisfactoria de la expresión inglesa *fake news*: la traducción literal sería 'información falsa', pero resulta insuficiente, porque *falsa* también podría aludir a información errónea, transmitida por error o no verificada. No obstante, en inglés esa posibilidad se denominaría más bien *wrong news*, ya que el error no implica, como ocurre con las *fake news*, un engaño deliberado. De hecho, ese carácter deliberado da cuenta del contexto general en el que se inscriben las *fake news* o los «hechos alternativos» a los que apeló la asesora de comunicación de Donald Trump. No basta con limitar el análisis a los medios de comunicación: hay que interrogarse sobre la producción de este «régimen» de verdad, que tiende a borrar la distinción entre lo verdadero y lo falso, al constituir una realidad alternativa en condiciones que no son las de los sistemas totalitarios, sino las de las sociedades democráticas.

POLÍTICA Y REGÍMENES DE VERDAD

Es preciso establecer una primera distinción fundamental para disipar ciertas confusiones. En el análisis que Arendt hizo de las experiencias totalitarias, asoció la creación de una realidad alternativa a la imposición de la ideología. Combinada con el terror, la ideología fabrica un mundo ficticio totalmente coherente y casi previsible, en el que se supone que los individuos encuentran refugio; protege de los estragos de la realidad a multitudes de individuos atomizados y abandonados a la incertidumbre que gracias a ella pueden orientarse, identificarse y definirse. No obstante, en cuanto se derrumbaron estos sistemas totalitarios, y con ellos el mundo ficticio que habían elaborado, las masas quedaron «disueltas» en cierto modo. Los individuos volvían a encontrarse aislados y dispersos, y acabaron partiendo en busca de una nueva ficción prometedora. En otras palabras, los sistemas totalitarios ya no existen, pero, tras su desaparición, persiste potencialmente una especie de deseo de ficción.

La influencia de semejante ideología totalizadora no puede atribuirse como tal a las sociedades democráticas, que se caracterizan más bien por la disolución de los puntos de referencia de la certidumbre. Ya hemos mencionado el peligro opuesto que las amenaza: el horizonte de un relativismo generalizado que puede conducir, de diversas formas, a la disolución de las fronteras entre lo verdadero y lo falso. Lo que no impide en absoluto que persista la fantasía inconfesada de un «mundo» protegido de los accidentes de lo real…

De ser así, la cuestión de la producción de «regímenes de verdad» debe considerarse desde dos ángulos: el de la política en general (que hemos abordado al analizar la cuestión de la verosimilitud y la *dóxa*) y otro específicamente vinculado a las sociedades democráticas.

Cuando Foucault introdujo la idea de «régimen de verdad», consideraba con razón que la verdad no estaba «fuera» del poder, ni era ajena a él, sino que formaba parte «de este mundo», se producía de acuerdo con diversas exigencias y poseía efectos regulados de poder.

> Cada sociedad tiene su régimen de verdad, su «política general de la verdad»: es decir, los tipos de discurso que acoge y hace funcionar como verdaderos; los mecanismos y las instancias que permiten distinguir los enunciados verdaderos o falsos, la manera de sancionar unos y otros; las técnicas y los procedimientos que son valorizados para la obtención de la verdad; el estatuto de quienes se encargan de decir qué es lo que funciona como verdadero.[1]

La verdad no es independiente de sus condiciones de enunciación e implica efectos de poder, pero esto no significa en absoluto que la distinción entre lo verdadero y lo falso haya quedado suprimida. El análisis de las condiciones de producción de la verdad no autoriza su disolución. Tampoco entraña el riesgo de un «sustituto» global de la realidad que funcione de forma coherente. Afirmar que la división entre lo verdadero y lo falso está intrínsecamente ligada al arte de gobernar no significa indiferencia hacia la verdad, como tampoco señalar que el «decir la verdad» está sometido a los presupuestos y apuestas de un «gobierno de la verdad», o incluso que la verdad no puede escapar a los juegos de poder. El problema es más bien examinar las condiciones de aparición de la postverdad en un régimen de producción de lo verdadero que no es el de los sistemas totalitarios, sino que emerge del seno mismo de las sociedades democráticas.

Cuando Foucault define con mayor precisión lo que denomina «régimen de verdad», le otorga una connotación

[1] Michel Foucault, «La fonction politique de l'intellectuel», en: *Dits et écrits, III: 1976-1979*, París, Gallimard, 1994, p. 112 [«Verdad y poder», en: *Microfísica del poder*, trad. Julia Varela y Fernando Álvarez-Uría, Madrid, La Piqueta, 1992, pp. 187].

política: «Es un lugar común decir que el arte de gobernar y el juego de la verdad no son independientes uno de otro y que no es posible gobernar sin entrar de una manera u otra en el juego de la verdad».[1] Siempre existe una relación entre el ejercicio del poder y la manifestación de la verdad, y Foucault expone las cinco maneras de concebirla que se han sucedido en el pensamiento político moderno desde el siglo XVII:

- la idea de razón de Estado (razón de Estado como principio de verdad y racionalidad de la acción de gobierno);

- vincular el arte de gobernar al conocimiento de determinados procesos (la demografía, la producción de riqueza, el trabajo), que fue la posición de los fisiócratas en el siglo XVIII: la verdad era el conocimiento de los procesos económicos, biopolíticos y demográficos;

- la siguiente forma, que vemos desarrollarse en el siglo XIX, lleva más lejos la anterior. El arte de gobernar implica el establecimiento de un saber especializado, la formación de una categoría de individuos «competentes»: tecnócratas, expertos, «epistemócratas». De ahí la tendencia a debilitar o sofocar la acción política en beneficio de lo que Saint-Simon llamaba la «administración de las cosas». La verdad de la política es la gestión ejercida en nombre de la competencia;

- a esta concepción se opone directamente la problemática marxista de desalienar y desmitificar un poder confiscado por quienes se presentan como los «especialistas» de la verdad. Es lo que planteó Rosa Luxemburgo con la célebre fórmula: «Si todo el mundo supiera, el capitalismo no duraría ni veinticuatro horas». La verdad depende enton-

[1] Michel Foucault, *Du gouvernement des vivants*, *op. cit.*, clase del 9 de enero de 1980, p. 14 y ss. [*Del gobierno de los vivos*, *op. cit.*, p. 32 y ss.].

ces de la desmitificación y la denuncia de la ilusión producida por el poder establecido;

- finalmente, la última y más reciente variante (el texto de Foucault data de 1980), corresponde al «principio de Solzhenitsyn, consistente en decir [...] que si los regímenes socialistas duran es precisamente porque todo el mundo sabe». Es la verdad misma la que «inmoviliza», la que «por su evidencia misma [...] se hace intangible e inevitable».[1]

Si un régimen político se define como el conjunto de procedimientos e instituciones por los cuales los individuos se comprometen a obedecer decisiones, entonces la producción de la verdad es parte activa de ese proceso. A partir de aquí, Foucault sugiere el vínculo entre poder y subjetividad (sumisión, obediencia o adhesión). No obstante, hace hincapié en el carácter «procedimental» de los regímenes (los mecanismos institucionales), mientras que Montesquieu insistía en la distinción entre la «naturaleza» y el «principio» de los regímenes políticos. La «naturaleza» de un régimen consiste en el conjunto de sus mecanismos, sus modos de funcionamiento. Su «principio» o «resorte» (su dinámica), le da existencia: pasiones, costumbres, hábitos, valores... Sin embargo, Foucault presta atención (cosa nada insignificante) al carácter operativo de los procedimientos, a lo «instituido» más que a lo «instituyente» o a la fuerza de institución. Se centra en los «regímenes de verdad, es decir, los tipos de relaciones que vinculan las manifestaciones de la verdad con sus procedimientos y los sujetos que son sus operadores, sus testigos o eventualmente sus objetos».[2]

¿Cuáles de estos elementos—a partir de los anteriores análisis comparados—pueden servir de puntos de apoyo para comprender el presente?

[1] [*Ibid.*, p. 36]. [2] *Ibid.*, p. 98 [*ibid.*, p. 389].

Arendt analizó de manera más específica la producción de la mentira organizada en los sistemas totalitarios, donde lo real se borraba ante un conjunto de artefactos que supuestamente constituían un todo compacto y homogéneo. No abordó de manera directa el «régimen de verdad» imperante en las democracias liberales, pero elaboró valiosos análisis a partir de diversos acontecimientos (la reescritura negacionista de la historia o el caso de los papeles del Pentágono). Sus reflexiones arrojan luz sobre dos problemas cruciales: la transformación de las verdades factuales en opiniones y las condiciones que permiten fabricar una realidad alternativa. La convergencia de estos dos elementos está en el corazón de la disolución de la frontera entre lo verdadero y lo falso, y de la indiferencia ante la verdad.

Foucault, por su parte, introdujo un elemento decisivo en el análisis de la relación entre verdad y política: la verdad nunca es «pura», siempre se inscribe en una política, y todo poder se ejerce mediante un «ritual de manifestación de la verdad».[1] Esto permite comprender de qué modo la verdad puede funcionar como instrumento de dominación: la razón de Estado constituye el principio de gobierno, y los discursos económico-tecnocráticos o económico-epistemocráticos, la «verdad» de un poder supuestamente racional. Sin embargo, a partir del momento en que, durante la década de 1980, Foucault se orientó hacia el análisis de los modos de subjetivación, se preguntó con mayor precisión cómo se conjugan las técnicas de dominación y las formas en que el sujeto se construye y modifica a sí mismo. Así, puso de manifiesto que poder no es sinónimo de dominación: el poder está entrelazado con la libertad, la relación de poder sólo es posible si los sujetos son libres. El poder siempre tie-

1 [*Ibid.*, p. 23].

ne que ver con sujetos que no sólo son capaces de adhesión (sujetos que consienten), sino también de resistencia e insubordinación: se enfrenta a libertades «rebeldes» (la «rebeldía» de la libertad es casi un pleonasmo).

Uno de los elementos más operativos de esta perspectiva para la comprensión de las sociedades contemporáneas es el análisis de la producción primero «liberal» y luego «neoliberal» de la verdad en el contexto de la economía «liberal», llevado a cabo especialmente en *Nacimiento de la biopolítica*.[1] Aunque en dicho análisis no figura—lo que no deja de ser un problema importante—la menor referencia a la *democracia* moderna y contemporánea, Foucault se centra en el modo en que la racionalidad política neoliberal convierte la cientificidad (la verdad científica) en una matriz que legitima el poder y su modo de funcionamiento. Con ello arroja luz a las tendencias y justificaciones «epistemocráticas» actuales. El nuevo arte de gobernar del neoliberalismo no responde únicamente a exigencias económicas, sino que implica una racionalidad política global: todas las dimensiones de la experiencia contemporánea tienden a someterse a la racionalidad económica y a una lógica unívoca, la de la eficacia de la lógica mercantil. Ésta pretende basarse en las disciplinas científicas (portadoras de verdad) y, sobre todo, en el discurso económico. Tales son hoy los «juegos de verdad» que producen los efectos del poder, ya que se incita a los sujetos a comportarse como seres unidimensionales, como actores «emprendedores» y «empresarios de su propia persona», individuos calculadores y com-

[1] Michel Foucault, *Naissance de la biopolitique*, curso en el Collège de France, 1978-1979, París, EHESS-Gallimard-Seuil, 2004. [Existe traducción en español: *Nacimiento de la biopolítica*, trad. Horacio Pons, Tres Cantos, Akal, 2016].

petentes que se constituyen y se transforman dentro de este régimen de producción de la verdad.

Este análisis se centra en las tecnologías políticas de la racionalidad neoliberal y no en la disolución de las fronteras entre lo verdadero y lo falso intrínsecamente ligada a las condiciones de la democracia moderna que señala Hannah Arendt. A Foucault no le preocupa la singularidad de esta «forma de sociedad», de esta *experiencia democrática* que implica no sólo procedimientos y modalidades institucionales, sino un horizonte de sentido, una manera de vivir juntos que está siempre por encima de las formas de «gubernamentalidad». Esto puede parecer paradójico, ya que cabría esperar un mayor apego a la figura antropológica del *homo democraticus* en el pensamiento de Foucault, a tenor de su interés por los modos de subjetivación.

LA POLÍTICA Y EL DECIR LA VERDAD: EL RETORNO A LA «PARRESÍA»

¿Arrojan alguna luz sobre este punto ciego los análisis de la *parresía* ('la franqueza', 'el hablar claro') que Foucault llevó a cabo en los últimos cursos que impartió en el Collège de France? En esos años el pensamiento de Foucault adquirió un fuerte sentido ético. No se trata tanto de una ruptura con la obra precedente como de una reorientación: al focalizarse en los modos de subjetivación (adhesión, resistencia, interiorización), Foucault se interesó por el «tipo de acto mediante el cual el sujeto, al decir la verdad, se *manifiesta*», «se representa a sí mismo y es reconocido por los otros como alguien que dice la verdad».[1]

[1] Michel Foucault, *Le Courage de la vérité*, curso en el Collège de

¿Cómo pueden «la obligación y la posibilidad de decir la verdad en los procedimientos de gobierno mostrar que el individuo se constituye como sujeto en la relación consigo y con los otros»?[1] El problema no es «epistemológico», no concierne al conocimiento (los modos de conocimiento, las modalidades de acceso a la verdad), sino «aletúrgico»: tiene que ver con el acto por el cual se manifiesta la verdad. La *parresía* es sólo uno de los tres grandes modos de subjetivación a través de los cuales los sujetos se constituyen en su relación con un discurso verdadero, pero reviste un particular interés—para nuestro problema—porque se despliega en la intersección de lo individual y lo político.[2]

Como sinceridad, franqueza de corazón y pensamiento, etimológicamente la *parresía* consiste en 'decirlo todo' (*pan rhéma*, en griego), es la ética de la relación verbal con el otro, el comportamiento que debemos adoptar y «la apertura que hace que uno diga lo que tiene que decir, lo que tiene ganas de decir y lo que considera un deber decir porque es necesario, porque es útil, porque es verdad».[3] Se

---

France 1983-1984, París, EHESS-Gallimard-Seuil, 2009, p. 4 [*El coraje de la verdad*, trad. Horacio Pons, Buenos Aires, FCE, 2010, p. 19].

[1] Véase Michel Foucault, *Le Gouvernement de soi et des autres*, curso en el Collège de France 1983, EHESS-Gallimard-Seuil, 2008, pp. 82-83 [*El gobierno de sí y de los otros*, trad. Horacio Pons, Buenos Aires, FCE, 2009, p. 58].

[2] Así pues, aquí no hablaremos ni del cristianismo (de la confesión como acto de verdad), ni del «cuidado de sí» que estudió Foucault a través de los textos de la filosofía antigua, mediante el cual el sujeto elabora una «estilización de la conducta», da forma a su propia vida.

[3] Michel Foucault, *L'Herméneutique du sujet*, curso en el Collège de France 1981-1982, París, EHESS-Gallimard-Seuil, 2001, pp. 348-349 [*La hermenéutica del sujeto*, trad. Horacio Pons, Tres Cantos, Akal, 2021, p. 343].

trata de una cualidad moral que aparentemente se exige a todo hablante, pero que también interviene en el cultivo de sí de los filósofos antiguos y se opone—como veremos más adelante—a la adulación y la retórica de sus enemigos. La adulación es, en cierto modo, la adversaria «moral», mientras que la retórica (cuya condena resulta un poco más matizada, porque puede utilizarse en determinados casos) es la adversaria «técnica».

La *parresía* incumbe a la conducta individual, pero también es una noción política, inseparable de la práctica de decir la verdad sobre uno mismo:

> Arraigada originariamente en la práctica política y en la problematización de la democracia, y derivada después hacia la esfera de la ética personal y la constitución del sujeto moral [...] con esta noción de raíz política y derivación moral tenemos la posibilidad de plantear la cuestión del sujeto y la verdad desde el punto de vista de la práctica de lo que podemos llamar el gobierno de sí mismo y de los otros.[1]

En sentido etimológico, el valor de la *parresía* no es unívoco: puede ser negativo ('cháchara irreflexiva', 'decir todo lo que se nos pasa por la cabeza'), o positivo cuando está vinculado a la verdad. Sin embargo, esta última determinación no basta: jamás diríamos que un geómetra o un gramático, profesionales que enseñan verdades en las que creen, son «parresiastas», porque otra condición de esta forma de decir la verdad es que el sujeto se expone: corre el riesgo de comprometer su relación con aquellos a quienes habla. La *parresía* es, pues, la verdad «con el riesgo de la vio-

[1] Michel Foucault, *Le Courage de la vérité*, *op. cit.*, p. 10 [*El coraje de la verdad*, *op. cit.*, pp. 26-27].

lencia».[1] Demóstenes sabe desde la primera de sus *Filípicas* que al manifestarse «francamente» corre el riesgo de padecer consecuencias imprevisibles, como advierte al admitir que ignora los efectos que tendrá lo que se dispone a decir.[2] La *parresía* es inseparable del coraje: no sólo para entablar una relación con el interlocutor, sino también para arriesgar la propia vida.

Así, el análisis foucaultiano de la *parresía* en la escuela antigua de los cínicos es revelador, pues nos muestra cómo se entrelazan una forma de existencia (una estética de la existencia y la conducta) y la práctica de decir la verdad. Frente a las interpretaciones convencionales que hacen del cinismo un individualismo exacerbado, una exaltación de la existencia singular, Foucault se interesa por el modo en que esta forma de vida da testimonio de la verdad. Lo que yace en el corazón del cinismo antiguo es un modo de existencia que revela el «escándalo vivo de la verdad», una forma de filosofía en la que el modo de vida y el decir la verdad son indisociables.[3] Ascético, errante, sin hogar, familia ni patria, el cínico carece de apegos. Liberado de toda obligación inútil, de toda convención, ilustra una especie de «depuración general de la existencia y las opiniones para hacer surgir la verdad». El modo de vida cínico tiene así una función de «prueba»: «Permite poner de manifiesto, en su desnudez irreductible», lo único indispensable para la vida humana, su «esencia más elemental, más rudimentaria».[4]

1 [*Ibid.*, p. 30].

2 Las *Filípicas* son una serie de discursos que pronunció Demóstenes entre 351 y 341 a. C. en los que denunciaba las ambiciones de Filipo de Macedonia.

3 Michel Foucault, *Le Courage de la vérité*, *op. cit.*, p. 153 [*El coraje de la verdad*, *op. cit.*, p. 192].

4 *Ibid.*, p. 158 [*ibid.*, p. 184].

En sus *Discursos*, Epicteto hace hablar al cínico en estos términos: «No tengo ni mujer, ni hijos, ni palacio de gobernador, sino la tierra sola, el cielo y un viejo manto. ¿Y qué me falta? ¿No carezco acaso de penas y temores, no soy libre?».[1] Éste es el sentido de la vida del cínico: es el *gesto* mismo de la verdad, su *testimonio*.

Que esta forma de vida pueda interpretarse como el lugar donde emerge la verdad permite comprender el carácter transhistórico que se le asigna. El cinismo es una categoría que, más allá de las prácticas y doctrinas de la Antigüedad, recorre el pensamiento, la subjetividad y la existencia occidentales. Y, al seguir ese recorrido, podemos comprender mejor la concepción que tiene Foucault de la relación entre ética, existencia y política. Tanto el ascetismo cristiano y sus privaciones, como los movimientos revolucionarios para los que la revolución no es sólo un proyecto político sino una nueva forma de vida (por ejemplo, la militancia de izquierdas en lucha contra el conformismo de los aparatos burocráticos), o la «vida de artista», que da testimonio de lo que el arte es en su verdad, todas estas formas de existencia plantean la cuestión de la «vida verdadera» y ponen en juego la oposición entre el «escándalo de una verdad inaceptable» y cierta conformidad existencial.[2]

Podemos admitir que esta tendencia no es un abandono de la perspectiva política, sino una manera diferente de abordarla o de volver a ella mediante la articulación del cuidado de sí y del cuidado del mundo. Ahora bien, como el propio Foucault reconoce, este énfasis ético es el resultado de una dificultad específica de la *parresía* democrática, que implica, como señaló Platón, una ambigüedad esencial. La *parresía* brinda a todos la oportunidad de hablar: a

[1] *Ibid.*, p. 159 [*ibid.*, p. 185].

[2] *Ibid.*, p. 173 [*ibid.*, p. 198].

los mejores y a los peores. Ofrece la posibilidad tanto del discurso verdadero como del distorsionado. El hecho de que cualquiera pueda tomar la palabra (la *isegoría*) no implica *parresía* y, además, la igualdad formal de los ciudadanos impide que los más «capaces» posean en exclusiva ese derecho a la palabra. Como subrayaba Protágoras, la democracia es la prerrogativa de «cualquiera». En estas condiciones, el principio de diferenciación ética que implica la *parresía* se vuelve muy problemático. Entonces, ¿cómo puede la democracia dar cabida al «decir la verdad»? De ahí surge la idea innegable de que el vínculo entre *parresía* y democracia es peligroso. A la sombra de la buena *parresía*, la de Pericles, se alzan las malas imitaciones del decir la verdad: el discurso demagógico, la adulación, la opinión fluctuante y dudosa de la mayoría…

En estas palabras resuena el eco del célebre debate entre Sócrates y Protágoras,[1] y Foucault reexamina la posición platónica. Considera una perversión o una alteración resultante de la práctica democrática lo que para Protágoras es su característica primordial: el riesgo permanente que implica la capacidad de juzgar que caracteriza a todos los ciudadanos. Ciertamente existe una dificultad estructural en el ejercicio de la *parresía* en democracia, pero para Foucault reside en la práctica imposibilidad de instituir una diferenciación ética, lo cual plantea dos grandes paradojas:

- aunque sólo puede haber discurso verdadero *en virtud de* la democracia, este discurso introduce algo irreductible a la estructura igualitaria, es decir, un elemento de diferenciación—el ascendiente o el coraje—que se opone al principio de que «cualquiera» puede hablar. El decir la verdad,

[1] En el *Protágoras* de Platón.

inherente a la democracia, contraviene al mismo tiempo su naturaleza;

- el discurso verdadero, condición de la democracia, se ve constantemente amenazado por su ejercicio: la democracia conlleva la posible desaparición y muerte del decir la verdad.

Como nos recuerda Foucault, conviene insistir en la actualidad de estas dos paradojas que, aún hoy, conforman la fragilidad constitutiva de la democracia. La «cuestión del discurso verdadero y de la cesura necesaria, indispensable y frágil que el discurso verdadero no puede no introducir»[1] está siempre a la orden del día.

Ahora bien, esta cuestión, como hemos visto, es precisamente la que se encuentra en el centro del debate entre Platón y Aristóteles. Aristóteles se enfrenta a ella tratando de elaborar las reglas de un discurso que no es «verdadero» sino *verosímil*. Determina las reglas del uso legítimo de la palabra poderosa distinguiendo entre el régimen lógico de lo «verosímil» (el de lo común, el lugar de lo común) y el régimen lógico de lo verdadero. Y se preocupa de diferenciar entre los usos falsos o malos de lo verosímil (lo verosímil mentiroso, la «falsa apariencia de verosimilitud») y los buenos: lo «verosímil verídico». Con ello, pone en primer plano un problema esencial, al que vuelve Arendt: el de lo imaginario. Lo verosímil es una categoría que no moviliza lo real (que es necesariamente como es), sino lo imaginario, lo que podría ser diferente a como es y, por lo tanto, tiene que ver con la acción.

Desde la perspectiva foucaultiana—el modo de subjetivación por el que el sujeto se relaciona consigo mismo re-

[1] Michel Foucault, *Le Gouvernement de soi et des autres*, *op. cit.*, p. 168 [*El gobierno de sí y de otros*, *op. cit.*, p. 195].

lacionándose con la verdad—no es posible abordar de esta manera la fragilidad constitutiva del discurso democrático: el filósofo no se plantea que la cuestión crucial de la política—y más aún de la política democrática—pueda ser la opinión recta y el juicio, y no la verdad. Inmediatamente después de afirmar la paradoja de lo político, da un paso al lado introduciendo la «cesura» del discurso verdadero. No obstante, aceptar la paradoja de lo político implica admitir, como hace en particular Paul Ricœur en la tradición aristotélica, que «el lenguaje político es retórico no por vicio» o por accidente, «sino por esencia». Esta fragilidad, que lo expone de manera constante a la perversión sofística, es también su grandeza, la grandeza de la deliberación colectiva.[1]

Foucault sustituye esta paradoja por la «cesura», lo cual le lleva a acentuar la orientación ética y privilegiar el principio de la «diferenciación» moral. En cierto sentido, esta orientación es fructífera: como hemos visto, le permite analizar cierta forma de vida neoliberal, mostrar que las racionalidades económicas y políticas implican comportamientos, modos de vida e intercambio (el espíritu *start-up*, el *jogging*, el uso generalizado de las redes sociales…). Pero, al eludir las dificultades inherentes a la fragilidad democrática, se aproxima más a Platón que a Aristóteles: pese a algunos matices, «el fondo moral de la retórica siempre es la adulación».[2]

La forma en que la *parresía* se inscribe en una relación no es menos reveladora. Puesto que la palabra veraz se dirige

[1] Paul Ricœur, *Lectures 1: Autour du politique*, París, Seuil, Points Essais, 1999, p. 175.

[2] Michel Foucault, *L'Herméneutique du sujet*, *op. cit.*, p. 357 [*La hermenéutica del sujeto*, *op. cit.*, p. 349].

a otro (el amigo, el pueblo, el rey), éste también debe entrar en el juego de la franqueza y demostrar su «grandeza de alma» al aceptar que le digan la verdad, aunque duela. Existe una «suerte de pacto entre quien corre el riesgo de decir la verdad y quien acepta escucharla que está en el centro mismo de lo que podríamos llamar juego parresiástico».[1]

Pero ¿acaso la relación interpersonal que tenemos con un amigo es comparable al discurso dirigido al pueblo (como hace el orador) o al poder instituido? ¿No resulta ingenua la idea de que el juego parresiástico—considerado desde una perspectiva política—requiere reciprocidad por parte del poder? Suponiendo que el dirigente político pueda escuchar la palabra veraz, ¿cuáles serían sus efectos? Basta pensar en Emmanuel Macron, que en esencia dice: voy a escucharos, voy a escucharlo todo, pero no voy a desviarme de mi programa.

Admitamos que el análisis de las prácticas de subjetivación ética no desvía a Foucault de la política, en la medida en que plantea un modo de relación con uno mismo que incumbe tanto a los dirigentes como a quienes los obedecen. Pero ¿qué efectos tiene el «decir la verdad» en la acción efectiva? ¿Cómo transforma la realidad un discurso de la verdad? Hannah Arendt observó que en determinadas situaciones decir la verdad es empezar a actuar, y la palabra se convierte entonces en un factor político esencial. Lo hemos visto en el caso de la disidencia (que sin duda marcó mucho a Foucault en su problematización del *éthos* político), pero también nos gustaría ocuparnos directamente de lo que ocurre en las democracias contemporáneas.

En el caso de los papeles del Pentágono que analizó

[1] Michel Foucault, *Le Courage de la vérité*, *op. cit.*, p. 14 [*El coraje de la verdad*, *op. cit.*, p. 32].

Arendt, Daniel Ellsberg utilizó el contrapoder de la prensa para intervenir y transformar la realidad. Lo mismo ha ocurrido con los nuevos *whistleblowers*, denunciantes como Chelsea Manning, Edward Snowden e Irène Frachon. En todos estos casos, si el príncipe escucha la palabra veraz no es gracias a una relación interpersonal, intersubjetiva, sino a mediaciones, protecciones jurídicas que *institucionalizan* el decir la verdad y le otorgan su eficacia. Cuando Irène Frachon, médica del Hospital Universitario de Brest, desveló el escándalo del fármaco Mediator, no tenía ninguna protección jurídica, y demostró el valor de la verdad del que habló Foucault. Sin embargo, en una sociedad democrática, sus efectos pueden (y deben) reflejarse en la elaboración de nuevos dispositivos políticos y jurídicos. La Ley Sapin 2 del 9 de diciembre de 2016, por imperfecta o insuficiente que sea, ha creado un sistema general de protección de los denunciantes, a quienes por lo demás define con bastante amplitud, ya que se refiere a cualquier persona física, ciudadano, funcionario público o empleado que denuncie o revele una violación grave del interés general, al tiempo que excluye a las personas jurídicas (asociaciones, sindicatos o empresas) del sistema general de protección.

En el marco de las instituciones democráticas estas prácticas del decir la verdad, que Foucault denominó *contraconductas*, se inscriben en una conflictividad que está en la base del modo de existencia democrático. Su ejercicio no sólo implica la constitución de un *éthos*, sino también la posibilidad de transformar la práctica. Además, es preciso admitir que el principio generador de la sociedad democrática conlleva la posibilidad permanente de su desestabilización: precisamente en nombre de los principios de la democracia el *whistleblower* señala las disfunciones en su ejercicio y entra entonces en la arena política. Gracias a la libertad de prensa, los periodistas han investigado casos como los papeles de Panamá o los paraísos fiscales y conseguido influir, aunque sea de modo parcial, en la actuación de los Gobiernos. En cambio, el disidente del sistema totalitario sólo podía utilizar un sistema clandestino para difundir sus escritos (el *samizdat*), ya que ni la prensa ni la edición eran libres: «Cuando un pueblo se encuentra absolutamente sometido, la defensa filosófica de la subjetividad se convierte en el único recurso del ciudadano contra el tirano».[1]

El punto ciego de la reflexión de Foucault radica en haber mostrado poco interés por el régimen de verdad en la democracia moderna, donde la capacidad de juicio de los ciudadanos está constantemente expuesta a la transformación de las verdades de hecho en opiniones. Sin embargo, esta misma democracia produce las condiciones (por imperfectas que sean) de una capacidad de decir la verdad que transforme lo real, que prevalezca en público a través de las instituciones (autoridad judicial, prensa libre) y los contrapoderes. El decir la verdad sólo puede tener eficacia política si se institucionaliza. El poder no es sólo una cuestión teórica; forma parte de nuestra experiencia y abarca prácticas concretas relativas a cualquier situación dada. En este sentido, la democracia moderna no sólo difiere de la democracia antigua, sino que supone un potencial ciertamente frágil y siempre amenazado, que sin embargo no puede disociarse del examen de su régimen de verdad.

No obstante, las condiciones de la eficacia del decir la verdad no transforman la naturaleza de la palabra política ni reducen su ambigüedad. Dado que cada forma de socie-

[1] Paul Ricœur, «Jan Patočka, le philosophe résistant», *Le Monde*, 15 de marzo de 1977; reproducido en *Lectures 1*, *op. cit.*, p. 73.

dad tiene su régimen de verdad, su política general de la verdad, las sociedades democráticas convocan en el debate público nociones polisémicas. Así, cuando debatimos en un foro público sobre palabras tan importantes como *seguridad*, *justicia*, *igualdad*, *soberanía*, *crecimiento*, etcétera, todas ellas alimentan una discusión fundamental acerca de los «fines» del «buen» gobierno, de la «buena» sociedad (suponiendo que sólo exista una forma de buen gobierno o buena sociedad). Estos términos emblemáticos no sólo no son unívocos—están sujetos a debates y a interpretaciones opuestas—, sino que además conllevan una carga emocional que favorece la manipulación y la propaganda, más que la discusión. Son a la vez e indisolublemente conceptos fundamentales (filosóficos, políticos) y términos susceptibles de modificarse y pervertirse sin cesar a causa de sus usos ideológicos.

Ésta es la paradoja que el análisis de Arendt permite abordar cuando considera la transformación de las verdades de hecho en opiniones, vinculada a la circunstancia de que el ejercicio del juicio es vulnerable e incluso puede ser pervertido, algo que hoy es aún más frecuente como consecuencia de la transmisión viral de la información a través de los canales digitales. Sin embargo, la paradoja también abre otra perspectiva, ya que la afinidad entre la capacidad de mentir y la libertad, y la proximidad de la mentira a la capacidad de transformar lo real, permiten plantear de nuevo la cuestión de la ficción y su relación con lo real, su fecundidad o sus malos usos.

4
FICCIÓN Y PODER HACER

¿Es posible producir efectos de verdad con un discurso de ficción? ¿En qué consiste el poder heurístico de la ficción? El «mentir veraz» es, utilizando la expresión de Aragon, lo propio del proceso de narración: al transformar los hechos reales mediante una composición ficcional «mentirosa», la narración transmite una verdad más próxima a lo real que su reproducción o duplicación. Si la ficción va más allá de la evidencia del mundo que nos es dado, e incluso lo suspende, es para que podamos imaginar otras (nuevas) formas de habitarlo. Pero la cuestión no atañe sólo al ámbito de la estética. Se extiende a otros campos, y en particular a las ficciones que, por vías indirectas, pretenden transformar la realidad, dibujar o redibujar el mundo común, el mundo de la acción. Al recrear lo real, la imaginación lo recalifica y proyecta otros posibles: apuntala la fuerza de lo verdadero.

Si la ficción no es ajena a la verdad, si un discurso de ficción puede trabajar y hacer trabajar la verdad, ¿cuál es entonces el estatuto de los *alternative facts* o de la realidad alternativa que borran la división entre lo verdadero y lo falso? ¿Es una forma de «destruir» lo real para rehacerlo de otra manera o, como sugería Arendt en relación con las mentiras modernas, una anulación pura y simple que atestigua la debilidad de lo verdadero? De hecho, la expresión misma de «realidad alternativa» debería despertar sospechas, porque la ficción no es un sustituto, sino un poder: *ficción* viene del latín *fingere*, que significa 'modelar', 'crear', 'imaginar', pero también 'hacer'. Sin embargo, aún debemos examinar las condiciones en las que se cumple esta acepción. Así que habría ficción y ficción, ficcionar y ficcionar... Tal vez incluso ficción contra ficción.

EL PODER DE LA FICCIÓN

Como hemos visto, Aristóteles, con quien iniciamos este recorrido, distingue entre una lógica de lo verosímil y lo plausible, vinculada a los debates de la práctica y la experiencia, y una lógica de la verdad, vinculada al saber teórico y la ciencia. Atento a la singularidad del régimen de discurso propio de la ciudad, se centra en la práctica lingüística que tiene lugar en ella. Esta «región» de la palabra vinculada a lo verosímil o lo plausible, y a la persuasión es la de lo común, el lugar de lo común, de lo que nos es común. La analogía entre este régimen de discurso y palabra y el ámbito de la creación estética (que, para Aristóteles, abarca en esencia la poesía y el teatro) se basa en la idea de que también en las artes lo verosímil y creíble actúan de concierto con lo «común»: remiten a una subjetividad compartida, la de los espectadores. La *mímesis* poética y trágica no duplica lo real, sino que explora los posibles y revela lo que podría ser diferente a como es. Tanto en la ciudad—lugar de lo común—como en la representación trágica, el centro neurálgico se sitúa en la confluencia del lenguaje y su apreciación por parte del público o el auditorio, en la encrucijada entre el decir y el creer, entre lo decible y lo creíble.

Por supuesto, el ámbito de la palabra pública y la verosimilitud política no es el de la estética. La política no es una obra de arte: no se trata ni de politizar la estética ni de estetizar la política. No obstante, en ambos casos el horizonte de la contingencia apuntala el valor de lo verosímil y lo plausible, y autoriza a apartarse de lo real tal como es. En el ámbito estético, se revela en la creatividad de la *mímesis* productiva, y en el ámbito político da lugar a la posibilidad de transformar la experiencia, en el sentido en que Arendt asociaba la capacidad de mentir con la posibilidad de ejercer la libertad apartándonos de la exigencia de lo real.

Explorar lo posible para mostrar lo que podría ser diferente a como es: ése es el denominador común de la representación creativa, productiva, y de la *práxis* humana. Desde esta perspectiva, la referencia inicial a lo real subsiste, pero no es vinculante.[1] Lo aceptable o admisible no es lo que se ajusta a la realidad (a título de copia, de reproducción idéntica), sino lo que, en la composición ficcional, responde a la necesidad lógica o a la plausibilidad: «De lo dicho resulta claro no ser oficio del poeta el contar las cosas como sucedieron sino cual desearíamos hubieran sucedido, y tratar lo posible según verosimilitud o necesidad».[2] Tal es el privilegio de la ficción, más «filosófica» que la historia, que se limita a contar cómo sucedieron los acontecimientos. La ficción, en cambio, no es tributaria del curso ordinario de las cosas: permite acceder a lo «universal», a una pluralidad de posibles racionales o a ciertas expectativas comunes a todas las personas. Mantiene unidas la referencia a la realidad humana y la distancia de lo imaginario, de modo que no atestigua un déficit de sentido, sino un excedente.

Esta libertad permite múltiples variaciones. Al concebir una fábula, un *mýthos* (una 'historia', una 'trama') que

[1] Sobre el desarrollo de esta cuestión, me permito remitir a mi libro *Le Miroir et la Scène. Ce que peut la représentation politique*, París, Seuil, 2016, en particular la primera parte (pp. 17-43).

[2] Aristóteles, *Poética*, trad. Juan David García Bacca, Caracas, Universidad Central de Venezuela, 1982, cap. 9, 1451b, p. 115.

representa personajes en acción, el poeta pone en escena situaciones singulares que ofrecen la posibilidad de acceder a lo universal. En Aristóteles, la prioridad concedida a la acción sobre los personajes es esencial, en la medida en que revela la estructura mimética de la acción: es uno de los aspectos del poder heurístico de la ficción. La pluralidad de los posibles se pone en juego de diversas maneras: la actividad mimética actualiza diferentes potencialidades mostrando a personas en acción, mejores o peores que nosotros, o incluso parecidas. Ya sean magnificadas (como en la tragedia) o rebajadas (como en la comedia), debemos poder reconocerlas como semejantes, es decir, como «héroes» que, sin embargo, están sujetos a la fragilidad y la incertidumbre. Es el ser humano falible lo que la representación trágica pone en escena: si recurre a la imaginación es sólo para poner de relieve la plasticidad de lo humano, para repensar el sentido de sus actos.

Esta capacidad para distanciarse de la referencia literal a lo real y recalificarla de otro modo puede extenderse a toda obra de ficción. La fuerza heurística de la literatura consiste en que momentáneamente «se *suspende* la relación del sentido con la referencia», con el mundo de la experiencia común y el discurso descriptivo.[1] Su poder afirmativo reside, pues, en el hecho de que suprime en un primer momento el discurso ordinario, el discurso en sentido propio, para redescubrir, a un nivel más profundo, una referencia de «segundo grado». En Ricœur encontramos la siguiente formulación, a primera vista sorprendente: «La función de la mayor parte de nuestra literatura parece ser destruir el

[1] Véase Paul Ricœur, *La Métaphore vive*, París, Seuil, 1975, pp. 278-279, las cursivas están en el texto [*La metáfora viva*, trad. Agustín Neira, Madrid, Trotta-Cristiandad, 2001, p. 292].

mundo».[1] Pero esta destrucción está dotada de una fuerza creadora, de una productividad que brinda acceso a lo real de manera inédita, a otro nivel que el de la descripción en el lenguaje ordinario. Al suprimirse esa referencia primaria al sentido literal, accedemos a otra «*proposición de mundo*, de un mundo habitable para proyectar allí uno de mis posibles más propios. Es lo que yo llamo el mundo del texto, el mundo propio de *este* texto único».[2]

Éste es, pues, el privilegio del mundo del texto, que no nos ayuda a escapar ni a huir de lo real, sino que nos permite desplegarlo de otra manera: a través de la ficción, nos reapropiamos del mundo. Sin embargo, como ya había señalado Aristóteles, la ficción no carece de referencia: la tragedia es una representación (*mímesis*) de la acción, de personas que actúan y padecen. Por otra parte, reapropiarse de lo real no es encontrar un ser disimulado, oculto tras la descripción literal, sino utilizar la potencia creativa del lenguaje y el poder de la ficción para alcanzar el mundo vivido, el «mundo de la vida»,[3] que es como un suelo originario, la capa primordial en la que arraiga toda atribución de sentido. Este mundo es la trama de las formas de pensar y sentir que hemos adquirido y yacen en segundo plano cada vez que hablamos y pensamos: un «ser-en-el-mundo» no tematizado pero que presuponemos, una especie de trasfondo común e insondable sobre el que no nos interrogamos. Constituye esa «reserva de sentido, ese excedente de sen-

[1] Paul Ricœur, *Du texte à l'action*, París, Seuil, 1986, p. 114. [Existe traducción en español: *Del texto a la acción*, vol. II, trad. Pablo Corona, Ciudad de México, FCE, 2002, p. 106].

[2] *Ibid.*, p. 114 [*ibid.*, p. 107], las cursivas están en el texto. Véase también Paul Ricœur, *La Métaphore vive*, *op. cit.*, p. 387 [*La metáfora viva*, *op. cit.*, p. 404].

[3] Lo que Husserl llama *Lebenswelt*.

tido» que hace posible toda objetivación y toda explicación de nuestra experiencia.[1]

Así pues, el mundo ficticio constituido por el texto no es una mentira o una ilusión que nos permita escapar de lo real y su comprensión. Moldeada por la imaginación, la estructura narrativa (el hacer relato) «trata, en todos sus usos, de llevar al lenguaje una experiencia, un modo de vivir y de estar-en-el-mundo que le precede y pide ser dicho».[2] Por su poder de afirmación, la capacidad del discurso de ficción (poético) es a la vez innovadora y reveladora: aporta al lenguaje un campo referencial desconocido que presiente. Ahora bien, si este campo referencial está «ya-ahí» y proyectamos en él nuestros posibles más propios, ¿cómo deja espacio a la *iniciativa* de los sujetos? Si es también el horizonte en el que nos proyectamos, su estructura es paradójica:

> Es necesario, pues, destruir el reino del objeto, para dejar ser y dejar manifestarse nuestra pertenencia primordial a un mundo que habitamos, es decir, que al mismo tiempo nos precede y recibe la huella de nuestras obras. En una palabra, es preciso restituir a la hermosa palabra *inventar* su propio sentido desdoblado, que implica a la vez descubrir y crear.[3]

La evidencia de la verdad queda entonces menoscabada, pero ¿de qué verdad se trata? Analizando la metáfora—que, como el relato, es fruto de la innovación semántica—, Ricœur muestra que, en ambos casos, algo nuevo e inédito surge en el lenguaje. La metáfora también opera

[1] Véase Paul Ricœur, *Du texte à l'action*, *op. cit.*, pp. 61-62 [*Del texto a la acción*, *op. cit.*, p. 60].

[2] *Ibid.*, p. 34 [*ibid.*, p. 35].

[3] Paul Ricœur, *La Métaphore vive*, *op. cit.*, p. 387 [*La metáfora viva*, *op. cit.*, p. 404].

un desplazamiento de sentido: en lugar de dar a una cosa su nombre habitual, su nombre cotidiano, la designa con un nombre transferido, transportado, prestado de otra cosa ajena (meta-fora). Ahora bien, considerada como enunciado (y no sólo como sustitución de una palabra por otra), la metáfora procede por desplazamiento e incluso por transgresión: el atardecer es *como* la vejez, el tiempo es *como* un mendigo, un alma es *como* un lago de hielo, la naturaleza es—según Baudelaire—*como* un templo de pilares vivientes. Se trata de captar lo semejante para «ver como». Metaforizar, dice Aristóteles, es en esencia ver lo semejante. Y la metáfora, definida en términos de movimiento más que de distancia, produce sentido a través del desorden que suscita, deconstruye para reconstruir. Al igual que el relato, es una estrategia discursiva que pone de manifiesto el poder creativo del lenguaje.

¿Qué ocurre entonces con la pretensión de verdad? Si la ficción—como la metáfora—posee el poder de redescribir, de imaginar una realidad inaccesible a la descripción directa, el privilegio de la referencia de segundo grado socava las categorías tradicionales y, en particular, la definición clásica de la verdad como verdad-verificación, *adæquatio rei et intellectus* ('correspondencia entre el objeto y la mente'). Ricœur aventura entonces la idea de una «verdad metafórica», expresión que no sólo manifiesta el poder del lenguaje para redescribir y redescubrir, sino que también propone una nueva forma de pensar la relación entre la verdad y lo real. Como la ficción, la metáfora «libera su función de descubrimiento».[1] Aporta al lenguaje una realidad que, literalmente, *no es*, pero que, metafóricamente, *es* a través del *ser-como*.

[1] *Ibid.*, p. 311 [*ibid.*, pp. 325, 326].

Realizar ese distanciamiento creativo, ese desplazamiento y esa «alteración» no es algo reservado a la literatura en el sentido estricto del término, sino a todo discurso de ficción, a toda estructura narrativa. Porque no sólo el discurso en sí es acción, sino que versa sobre personas que actúan y padecen, como señaló Aristóteles al definir la estructura *mimética* de la acción. La tragedia re-imagina la acción humana; ofrece una representación «ficticia» del actuar y el padecer humanos porque los re-crea. Y al hacerlo estructura el campo práctico.

LA IMAGINACIÓN DE LOS POSIBLES PRÁCTICOS: UNA VERDAD POR HACER

¿En qué sentido es el texto un paradigma susceptible de inspirar un pensamiento y una teoría de la acción? En primer lugar, podemos decir que quien relata—el narrador—elabora una especie de cartografía de la acción, que «imita» o más bien representa la realidad reinventándola. En este sentido, todas las modalidades del relato, del «contar una historia», están dotadas de una fuerza de reconfiguración comparable a la del poeta. Como señaló Roland Barthes, los relatos del mundo son innumerables y, en la infinidad de sus géneros, comienzan con la historia misma de la humanidad: todos los pueblos, todas las comunidades humanas tienen sus relatos, que a menudo deleitan a personas de culturas diferentes.

Pero, si la imaginación ha de tener una función productiva, si ha de extenderse y aplicarse al campo de la acción ética y política, debe ir más allá de esta primera etapa de reconstrucción o reconstitución. Ciertamente, el relato rehace el mundo, la ficción narrativa re-significa algo que está ya-ahí, pero ¿acaso puede abrir nuevas dimensiones de lo real? ¿Tiene una capacidad de anticipación e iniciativa capaz de transformarla?

Por lo tanto, hay que ir más allá de los límites de la imaginación mimética, re-descriptiva, figurativa, y considerar su función proyectiva, su papel en el dinamismo de la acción. Puesto que actúa de concierto con un «poder hacer», debemos pensarla como una función de los posibles prácticos que, más allá de la esfera del discurso, da testimonio de una capacidad de invención y abre la puerta a la iniciativa. Esta perspectiva se aparta deliberadamente de las concepciones más frecuentes dentro de la tradición filosófica, que hacen de la imaginación un vector de ilusión, cuando no de error y falsedad. Por supuesto, como ya había demostrado Spinoza, existen «patologías» de la imaginación, pero en cierto sentido son una distorsión, una desviación de su poder creador. El poder de imaginar no es un «vicio de la naturaleza»: la mente imagina lo que tiene la capacidad de aumentar su poder de existir, incluso si, de modo paradójico, tiende a producir ideas confusas y mutiladas.

Ésta es, pues, la primera condición para una forma de pensar la imaginación que libere la fuerza heurística de la ficción y recupere así la idea kantiana de un «libre juego» de (y con) nuestras posibilidades, incluso en la anticipación de la acción. Lo que Kant atribuía al libre juego de la imaginación y el entendimiento en el juicio estético puede extenderse a toda la acción humana. De ahí el carácter activo y creativo de la mente, que «juega» con sus facultades más dinámicas para inventar de modo constante nuevas figuras, formas inéditas. Ahora bien, las variaciones imaginativas a través de las cuales la mente humana toma conciencia de sus posibilidades (las modalidades del «yo podría») desbordan el ámbito de la estética para aplicarse a todo el campo de la práctica humana.

Desde esta perspectiva, la imaginación se convierte en un elemento constitutivo del ejercicio de las capacidades o «capabilidades» humanas. La antropología de la «persona capaz», tal como la concibe Ricœur, se organiza en torno a estos cuatro polos: la capacidad de decir, la capacidad de hacer, la capacidad de relatarse y la capacidad de responder de los propios actos. Ahora bien, estas capacidades implican la presencia de la imaginación, la posibilidad de anticipar un mundo y la pluralidad de sus posibles. Hay que creerse capaz de hablar para ser visto y escuchado por los demás. Hay que sentirse capaz de intervenir en el curso de las cosas para pensar que somos un sujeto activo que puede tomar la iniciativa. Lo mismo ocurre cuando pensamos que podemos contarnos la historia de nuestra vida, y cuando nos proyectamos como sujetos responsables, considerados autores de nuestros actos. Cada uno de estos procesos marca la realización de una capacidad de actuar, ajena, sin embargo, a cualquier pretensión de omnipotencia. Pues la paradoja los habita: la capacidad del hablante no suprime la violencia, no todo el mundo posee el mismo dominio de la palabra y las capacidades pueden verse obstaculizadas o incluso paralizadas tanto en el orden de la acción como en el de la «narración».

Aunque la acción no sea posible sin imaginación, es ante todo una interacción: exige una reciprocidad que en absoluto está siempre garantizada. Toda capacidad de hacer requiere, en los términos de Ricœur, una «atestación» por parte del otro que confirme la designación que el sujeto hace de su propia capacidad, de su poder para actuar. Pero esta reciprocidad incorpora la contingencia de las situaciones, y la propia atestación no está garantizada: no tenemos ninguna certeza de que nuestro «poder hacer» vaya a ser reconocido, de ahí la idea de que el ejercicio de estas diversas capacidades, nunca definitivamente garantizado, requiere una tarea interminable, siempre inconclusa.

Con mayor razón, lo que se aplica al individuo—la persona capaz—se aplica a la experiencia y a la acción comunes. Así que debemos preguntarnos de qué manera la imaginación, función de los posibles prácticos, moldea la existencia colectiva, cómo elabora la realidad histórica, política y social. Esto evoca de inmediato la práctica imaginaria de la utopía, que no puede desecharse sin más como una ilusión con el pretexto de que no existe en ningún «lugar», ya que se sitúa en un no-lugar (*u-tópos*). Conviene recordar el «sentido desdoblado» de la ficción: se dirige a otra parte, o incluso a ningún lado, pero precisamente por ello puede apuntar a esta realidad de manera oblicua. Produce un nuevo «modo referencial».[1]

Al estar en un «no lugar», la utopía es como un espacio vacío que, en virtud de su extraterritorialidad, permite pensar de otro modo la vida social. Las utopías, en toda su diversidad, se han planteado problemas tan variados como la familia, la propiedad, el consumo de bienes, la justicia social y, sobre todo, la naturaleza del poder. Pero, por encima de su contenido, que a menudo ha engendrado formas patológicas y totalizantes, cuando no totalitarias (sociedades ideales y perfectas que plasman la realización de la verdad y en las que triunfa la transparencia, ciudades geométricamente diseñadas de las que se destierra toda irregularidad, etcétera), la imaginación que las anima disuelve la certeza de la sociedad en que vivimos. Su excéntrico no-lugar arroja luz sobre nuestra propia rea-

1 *Ibid.*, p. 221 [*ibid.*, p. 315].

lidad, que de repente se vuelve extraña, ya que nada está establecido. El campo de los posibles se abre mucho más allá de lo existente y permite imaginar formas de vida radicalmente distintas.[1]

La crítica marxista ha denunciado con frecuencia las utopías como patológicas huidas hacia delante: lejos de guiarse por el propósito de transformar la realidad social existente mediante la *práxis*, pretenderían escapar de ella, serían «robinsonadas», y por lo tanto constituirían esquemas o modelos irreales. Sin embargo, si nos centramos en su creatividad, en la práctica imaginativa que las sustenta, lo esencial no es si las utopías son o no factibles ni, sobre todo, si queremos que se materialicen. No son propuestas alternativas destinadas a sustituir la realidad existente, el mundo tal como es. La función de la imaginación utópica consiste en abrir el campo de los posibles, no planteando una huida a otro lugar sino, por el contrario, utilizando la excentricidad para iluminar la sociedad existente. Ese estar en «ningún lugar» que «altera» lo real neutraliza la realidad social para ponerla momentáneamente a distancia. La función «excéntrica» de este imaginario social no responde a la concepción de la verdad como *adæquatio rei et intellectus*, sino a la de una *verdad por hacer*: pero no, insisto, porque tenga que realizarse en la forma proyectada, sino porque la distancia con respecto a la referencia de primer grado (la sociedad tal como es) permite su cuestionamiento y la emergencia de una conciencia crítica.

Foucault identificó esta función de impugnación y retorno a la realidad existente en otros contraespacios (o espa-

1 Paul Ricœur, *L'Idéologie et l'Utopie*, París, Seuil, 1997, p. 36. [Existe traducción en español: *Ideología y utopía*, trad. Alberto Luis Bixio, Madrid, Gedisa, 2019].

cios otros) que denominó «heterotopías», distintas de las utopías, «que entablan con el espacio real una relación general de analogía directa o inversa». Las utopías son siempre lugares irreales, ya se representen como sociedades perfectas o como el reverso de la realidad existente. Las heterotopías, en cambio, entablan una relación más compleja con la realidad: son lugares efectivos, dibujados dentro de la propia institución social, «especie de utopías efectivamente realizadas», «suerte de espacios que están fuera de todos los espacios, aunque no obstante es posible localizarlos».[1]

Las heterotopías pueden ser muy diferentes en cada sociedad y cada momento de la historia. En la época moderna aparecen heterotopías «de desviación, es decir, aquellas que reciben a individuos cuyo comportamiento se considera desviado en relación con el medio o la norma social. Es el caso de las residencias, las clínicas psiquiátricas, las prisiones y también los asilos».[2] Pero no son sólo lugares de exclusión o de marginación. Son lugares heterogéneos en relación con el espacio social ordinario «cuadriculado» y normalizado que se oponen a todos los demás, destinados en cierto modo a borrarlos, neutralizarlos o suspenderlos. Todos los niños están familiarizados con estas «utopías localizadas»: el jardín trasero, el desván con el tipi allí instalado. Pero los niños no son los únicos que las inventan: todas las sociedades adultas han organizado diversos contraespacios, como los jardines, los cementerios, los burdeles, el Club Méditerranée...

[1] Michel Foucault, «Des espaces autres», en: *Dits et écrits, IV: 1980-1988*, París, Gallimard, 1994, p. 755 [«Los espacios otros», trad. Luis Gayo Pérez, *Astrágalo: Cultura de la arquitectura y la ciudad*, n.º 7, 1997, p. 86].

[2] [*Ibid.*, p. 87].

Estos espacios dispares y cambiantes, variables según el tiempo y el lugar, que aparecen y desaparecen, son impugnaciones a la vez míticas y reales del espacio en que vivimos.[1] Como el teatro, pueden yuxtaponer en un lugar real varios espacios considerados incompatibles, diversos lugares en el rectángulo de un mismo escenario. Heterotopías del espacio, pero también del tiempo: heterocronías de un tiempo que ya no pasa, como los cementerios o incluso los museos y las bibliotecas, instituciones propias de la modernidad y destinadas a constituir el archivo general de toda una cultura, una especie de espacio de todos los tiempos.[2]

Al margen de su diversidad, o incluso de su apariencia heterogénea, todos estos espacios tienen algo en común: impugnan los demás espacios a través del «reservorio de imaginación» que representan. No es casualidad que el texto de Foucault termine con el ejemplo del navío, «heterotopía por excelencia», además de «medio de desarrollo económico»: pieza clave de la realidad económica y social y «pedazo flotante de espacio», el navío revela la naturaleza multidimensional de las heterotopías; dotado de realidad material y utilidad social, en su interior encierra un cuestionamiento de la experiencia común, del uso «ordinario», al yuxtaponer la función económica y la infinitud de lo imaginario.

[1] Véanse las dos conferencias que pronunció Michel Foucault en diciembre de 1966 en France Culture. Archivadas por el INA y recogidas en 2004 en un CD de la colección «Mémoire vive» bajo el título *Utopies et hétérotopies*, las publicó en 2009 Nouvelles Éditions Lignes con el título *Le Corps utopique - Les hétérotopies*. [Existe traducción en español: «Topologías», trad. Rodrigo García, *Fractal*, n.º 48, enero-marzo de 2008, año XII, vol. XIII, pp. 39-62].

[2] Véase Michel Foucault, «Des espaces autres», *loc. cit.*, p. 759 [*Los espacios otros*, *op. cit.*, p. 89].

A diferencia de las utopías, las heterotopías no están «fuera de lugar», es posible localizar dónde se encuentran efectivamente y a menudo son accesibles. Pero comparten con las primeras el poder de suspender, neutralizar o invertir la realidad. Foucault habla también del «reservorio de imaginación» que representa el navío. Como en el caso de la imaginación utópica, las heterotopías permiten alterar lo real, inquietarlo, sustituir la supuesta obviedad por la extrañeza. Al hacer surgir del interior mismo de lo social lugares otros (de «ninguna parte» o de «otra parte») que actúan de forma «lateral», estas prácticas imaginativas esbozan un «ser de otro modo» en lo social y lo político. Tal resignificación del espacio real constituye una forma de resistencia a la entropía social y política, a la pérdida de mundo. Sin duda alguna, también las heterotopías participan de esa extraña afinidad que señaló Arendt entre la capacidad de mentir y el ejercicio de la libertad.

POSTVERDAD Y PÉRDIDA DE MUNDO

¿Tienen esos «espacios otros» algo que ver con la «realidad alternativa» que propone la postverdad? En ocasiones se ha criticado a Foucault—sobre la base de algunas de sus afirmaciones, como que la verdad no se encuentra preestablecida en «ninguna parte», que existen diversos regímenes de verdad y que los «juegos de verdad» producen efectos de poder—el hecho de haber introducido un relativismo destructivo y haber suprimido toda referencia a una verdad normativa. Como hemos visto, no es el caso, y la naturaleza de la crítica que aquí he formulado pertenece a otro orden: se refiere al platonismo de su pensamiento, que, al minimizar la cuestión de la democracia moderna y su singularidad, tiende a disolverla en la «atestación» de una posición ética. Si consideramos lo que acabamos de analizar sobre las heterotopías y su ambigua relación con la imaginación utópica, podemos ver, por el contrario, dibujarse la idea de un poder de la ficción que—como en el caso de Ricœur—nutre y enriquece lo real: estas prácticas imaginativas sólo perturban el mundo tal como es para poder habitarlo. Su «reserva» de sentido manifiesta el excedente, la superabundancia de una experiencia viva.

No sucede lo mismo con la postverdad, que, indiferente a la división entre lo verdadero y lo falso, no altera ni perturba lo real. Que la verdad de lo común se base en la diversidad de opiniones y juicios—como corresponde en el ámbito de lo contingente—nada cambia del problema. Mientras que el poder heurístico de la ficción se debe a lo que descubre al inventar (en el doble sentido de *descubrir*), las pseudoinvenciones de la postverdad sólo producen sucedáneos espurios que, además de recusar las verdades de hecho, destruyen la base del mundo común. Ralph Keyes tenía razón al interrogarse en *The Post-Truth Era* sobre la posibilidad misma de un mundo compartido cuando presuponemos de antemano que cualquier persona, sea quien sea, y cualquier discurso, venga de donde venga, son sospechosos *a priori*. No sólo queda profundamente socavada la cultura del debate democrático, sino también el fundamento mismo de nuestro mundo común.

Como ya he mencionado, en *1984* George Orwell describió la mecánica de los sistemas totalitarios imaginando un mundo en el que la representación de la realidad estaba totalmente en manos del poder, hasta el desarrollo de la «nuevalengua» (*Newspeak*) que lleva a la destrucción del pensamiento, a la imposibilidad del «crimen del pensamiento» o «crimental», según la expresión de Syme, uno de los personajes de la novela.[1] La obra es lo que comúnmente se conoce como «distopía», es decir, una contrautopía o antiutopía que lleva al extremo la imaginación de una sociedad donde predomina lo peor. Las distopías (a menudo dis-cronías) son relatos de anticipación que proyectan en el futuro las consecuencias catastróficas de los procesos sociales y políticos que vivimos. En este sentido, desafían la evidencia de lo real que nos rodea y crean un desfase análogo al de las proyecciones utópicas. Pero también ponen de manifiesto que cualquier utopía—si se considera deseable y destinada a realizarse—se convierte en distopía: no es sólo una huida de la realidad, sino, las más de las veces, la construcción fantasmática de una sociedad despojada de las incertidumbres y los azares de la contingencia. Así pues, las distopías son el reverso o la otra cara de las utopías, una especie de negativo fotográfico que pone en tela de juicio su materialización. Esta «reversibilidad» permite comprender que una sociedad supuestamente perfecta (el mejor de los mundos posibles) es a la vez invivible y antipolítica hasta la médula.

El éxito actual de los relatos distópicos está vinculado a la multiplicidad de factores que provocan ansiedad. El oscurecimiento de nuestro horizonte de expectativas tiene mucho que ver con la anticipación de catástrofes medioambientales, el miedo engendrado por el terrorismo y las preocupaciones en materia de seguridad, así como la conciencia de la creciente vigilancia de las personas que ejercen los Estados gracias a los nuevos recursos tecnológicos.

[1] George Orwell, *1984*, pról. Umberto Eco, epíl. Thomas Pynchon, trad. Miguel Temprano García, Barcelona, Debolsillo, 2014, ed. digital. Las sucesivas citas de la obra se dan a partir de esta edición. (*N. del T.*).

Ciertamente, si *1984* se convirtió en un éxito de ventas en Estados Unidos tras la primera elección de Trump, no fue sólo a raíz de la fascinación contemporánea por este género literario y cinematográfico: la aparición de la postverdad y la irrupción de los «hechos alternativos» no podían sino poner nuevamente de actualidad los temas planteados en la novela. Porque el mundo que imaginó Orwell no se reduce a la descripción pesadillesca de un sistema totalitario consumado. Su centro neurálgico es la representación de un mundo (una «realidad») en el que la idea de verdad ha desaparecido por completo, con todas sus consecuencias—intelectuales, pero también afectivas y emocionales—, y se ha vuelto inhumano e imposible de compartir, porque en él no es posible el intercambio de ideas, sentimientos ni emociones. Ahora bien, esa inhumanidad deriva en particular del hecho de que el Partido puede anunciar un día que «dos y dos son cinco» y habrá que aceptarlo. Conforme a esta lógica, lo que la filosofía del Partido rechaza de modo tácito no es sólo «la validez de la experiencia, sino la propia existencia de la realidad externa. El sentido común era la peor herejía». Y lo más terrible es que acaba teniendo razón: «¿Cómo sabemos que dos y dos son cuatro? O que la fuerza de la gravedad actúa. O que el pasado es inalterable». Winston, que se niega a perder la esperanza, no encuentra otra forma de resistencia que escribir en su diario, con la sensación de estar enunciando un «axioma de crucial importancia»: «La libertad consiste en poder decir que dos y dos son cuatro. Admitido eso, se deduce todo lo demás».

Contra esta aniquilación de lo real, del mundo común, Orwell no apela al conocimiento, sino al sentido común, al sentido *de lo* común, es decir, al *sensus communis*, por utilizar el término de Kant, que recuperó y desarrolló Arendt.

Esta verdad que depende del consenso no es la coherencia lógica (a la que no renuncia la ideología, bien al contrario), sino la capacidad mental que nos dispone a incorporarnos a una comunidad, a formar parte de lo «común», a juzgar como miembros de una comunidad. Lo que reprimen las normas de la sociedad descrita en *1984* es el ejercicio de esta facultad.

Orwell habla de *common decency* ('decencia común' o 'decencia de las personas corrientes') para designar el fundamento sensible de nuestra pertenencia al mundo, la presencia de cierto número de valores que sustentan la posibilidad de vivir en común. Como sería un error dar una interpretación estrictamente moral a esta noción de *common decency*, insisto en señalar que se trata de una evidencia prerreflexiva, casi instintiva. En este sentido, se asemeja al «principio de piedad» tal como lo concibió Rousseau: como capacidad constitutiva de la condición humana, la piedad es la tendencia estructurante que nos inclina a entrar en comunidad y hace posible la elaboración de las normas e instituciones sociales. El filósofo israelí Avishai Margalit define la «sociedad decente» como aquella que, además de ser equitativa y contar con instituciones que funcionan conforme a normas, está comprometida con el respeto a la dignidad humana y presta atención a sentimientos como el honor y la humillación.[1]

Orwell añadió al final de su libro un apéndice sobre los principios de la «nuevalengua», el lenguaje oficial que se convertirá en la única lengua de intercambio oral y escrito cuando se haya realizado plenamente la sociedad. Tendrá que sustituir a la «viejalengua» (la antigua lengua, ya obso-

[1] Avishai Margalit, *La sociedad decente*, trad. Carme Castells, Barcelona, Paidós, 2013.

leta) reduciendo el repertorio del lenguaje al mínimo, simplificando el léxico y la sintaxis, con el fin de restringir el ámbito del pensamiento. Las palabras de la «nuevalengua» se dividen en tres clases distintas:

- El vocabulario A, que incluye palabras cotidianas (*comer*, *beber*, *trabajar*, *vestirse*, etcétera), está destinado a usos prácticos;

- El vocabulario B, creado con fines políticos, tiene la función de forjar la actitud mental deseable en el hablante. En este segundo registro, no se trata tanto de expresar ideas como de destruirlas vaciándolas de sentido, como las «palabras-baúl», el «viejopiensa»—que agrupan el conjunto de las nociones relativas a la objetividad y la racionalidad—o el «crimental» (el crimen del pensamiento), que engloba todo lo que tiene que ver con la libertad y la igualdad de derechos. El proceso consiste en ampliar el sentido de cierto número de palabras (poco numerosas) hasta englobar series enteras de vocablos convertidos en un único término omniabarcador, lo que conduce a la destrucción y el olvido de todos los significados singulares y, sobre todo, a la supresión de la polisemia y la ambigüedad del lenguaje: «Muchas palabras semejantes como *honor*, *justicia*, *moral*, *internacionalismo*, *democracia*, *ciencia* y *religión* sencillamente dejaron de existir. Unas cuantas palabras-baúl las englobaron y al mismo tiempo las abolieron». Se intenta reducir el vocabulario sin cesar, pero cada reducción es una ganancia, ya que la tentación de pensar disminuye de modo proporcional;

- El vocabulario C, se compone de términos científicos y técnicos formados a partir de la misma raíz que las palabras actuales. Definidas con la máxima precisión, deben depurarse de toda ambigüedad y significado indeseable. Sus usuarios encuentran en él los vocablos que necesitan en su especialidad, pero su conocimiento de los otros dos repertorios es rudimentario.

En tales condiciones, no sólo la expresión de opiniones personales o «no ortodoxas» llega a ser casi imposible, sino que, al final del proceso, cuando la «viejalengua» se haya borrado por completo, se romperá el último vínculo con el pasado. Los pocos fragmentos de literatura que sobrevivan aquí y allá serán entonces ininteligibles e intraducibles. Si, por razones de prestigio, se considera oportuno preservar la memoria de ciertas figuras históricas, habrá que traducirlas a la nueva lengua: «Una vez completada la tarea, se destruirían los escritos originales junto con toda la literatura del pasado que hubiera sobrevivido».

Syme, filólogo y especialista en «nuevalengua», habla con Winston Smith, que intenta resistir tratando de recordar el pasado y prestando atención a las pruebas (el artículo de periódico que tiene en sus manos):

> ¿No ves que el objetivo de la nuevalengua es reducir el alcance del pensamiento? Al final conseguiremos que el crimen del pensamiento sea literalmente imposible, porque no habrá palabras con las que expresarlo. Todos los conceptos necesarios se expresarán exactamente con una palabra cuyo significado estará rígidamente definido y cuyos significados subsidiarios se habrán borrado y olvidado [...] Cada año habrá menos palabras y el rango de la conciencia será cada vez más pequeño.

El hecho de que la «nuevalengua» no invente nuevas palabras, sino que las destruya para conseguir un repertorio restringido, hace imposible pensar de otra manera que no sea la impuesta por el Partido, acorde con sus objetivos.

Pero eso no es todo. La práctica del «doblepiensa»—la capacidad de mantener de manera simultánea dos afirmaciones contradictorias en la mente y aceptarlas ambas—imposibilita tanto la representación de lo real como la posición de un sujeto sensible y capaz de juzgar. El hecho de yuxtaponerlas sin que se revele su incompatibilidad (lo que abole el principio lógico de no contradicción), de sostener al mismo tiempo y con la misma convicción dos opiniones antitéticas, anula tanto la duda que acompaña la elaboración de un juicio fundado como la certeza que se adquiere al final del proceso de pensamiento. Lo mismo ocurre con la memoria y el olvido: olvidar lo que hay que olvidar, y luego recuperar el recuerdo tan necesario para olvidarlo de nuevo...

Los lemas «La guerra es la paz», «La libertad es la esclavitud», «La ignorancia es la fuerza», que adornan la fachada del Ministerio de la Verdad en la novela, no son ni paradojas ni oxímoron. La función de ambas figuras es socavar las evidencias de lo dado, introducir complejidad y confusión, plantear dilemas lógicos y morales, y quienes se enfrentan a ellas terminan abriéndose intelectual y emocionalmente, y ampliando—no cerrando ni restringiendo—su percepción del mundo. En cambio, la equivalencia de posiciones contradictorias, por insignificantes que puedan parecer, no produce un conflicto interior, sino tan sólo la indiferencia hacia el mundo real, que aboca a la incapacidad para juzgar (para pasar por el «tamiz» del juicio, elegir y criticar).

Y, en cierto sentido, la aceptación de *alternative facts* responde al mecanismo del «doblepiensa». Se obliga a la gente a admitir que, durante la primera ceremonia de investidura de Donald Trump, llovió y no llovió al mismo tiempo, y finalmente a olvidar una de las dos afirmaciones. Al disociar lo real de lo verdadero se habilita la posibilidad de creer en algo que sabemos falso sin convertirnos por ello en mentirosos o cínicos. Lo cual difiere tanto de la mentira tradicionalmente atribuida al ejercicio del poder como de la «credulidad» que supone la adhesión a lo que uno cree verdadero. Mientras que es posible asociar la capacidad de mentir a la libertad de actuar porque ofrece la posibilidad de transformar lo real, el sujeto sometido a la exigencia del doble discurso queda atrapado en la paralizante yuxtaposición de dos posiciones contrarias, literalmente petrificado, porque ese doble discurso abole la duplicidad, el equívoco, la ambigüedad.

Orwell sugiere que una sociedad en la que hubiera desaparecido toda referencia a la verdad del sentido común estaría poblada de individuos cuya humanidad misma se hallaría en vías de extinción; de hecho, ya no sería un mundo porque se habría vuelto inhabitable. En algunos aspectos, podemos reconocer en esta perspectiva los elementos del pensamiento ideológico de los regímenes totalitarios que analizó Arendt: la «desolación» totalitaria conlleva tanto la pérdida del yo (despojado de su posición de sujeto, privado de la confianza que los demás pudieran depositar en él), como la pérdida del mundo. El yo y el mundo, la facultad de pensar y la de experimentar, se pierden al mismo tiempo.

Pero, para comprender lo que está en juego en la postverdad tal como se nos presenta hoy, no basta con comparar sus condiciones y efectos con los mecanismos del totalitarismo, porque, como señaló Arendt, la pérdida de mundo puede afectar también a otras sociedades. Pese a que los regímenes totalitarios hayan desaparecido, es muy posible que sobrevivan soluciones análogas en forma de «fuertes tentaciones» que surgirán cada vez que parezca imposible aliviar la miseria política, social y económica de una manera humanamente digna.

Arendt no sólo menciona soluciones de orden económico, social y político (la multiplicación de personas «superfluas» en un mundo en el que prima la eficacia), sino de la eventualidad de una pérdida de mundo ligada a la supresión de lo verdadero.

> El objeto ideal de la dominación totalitaria no es el nazi convencido ni el comunista convencido, sino las personas para quienes ya no existe la distinción entre el hecho y la ficción (es decir, la realidad de la experiencia) ni la distinción entre lo verdadero y lo falso (es decir, las normas del pensamiento).[1]

Condiciones distintas a las que producen los sistemas totalitarios pueden volver inhabitable el mundo y deshumanizar a los sujetos humanos. Pero la verdad que puede desaparecer no es ni la coherencia lógica, cuya validez no depende de lo real, ni la legitimidad de la verdad ontológica o científica. El mundo—que es sobre todo el de las relaciones entre las personas, su *inter-esse*—se convierte en un desierto cuando se deshace el *sentido común* que compartimos y nos permite establecer intercambios mutuos, mantener con el mundo una relación sensible en la que podemos confiar. Si bien las sociedades democráticas actuales (o lo que queda de ellas) están amenazadas no tanto por el carácter totalizador de la exigencia ideológica como por el riesgo de una indiferenciación de las creencias, las prácticas y las experiencias, no es menos cierto que el mundo ficticio que se está configurando con la emergencia de la postverdad acarrea la ruina de la facultad de juzgar, esa facultad que nos permite tanto diferenciar y organizar lo real como configurar lo «común» al compartir nuestras experiencias sensibles.

[1] Hannah Arendt, *Los orígenes del totalitarismo*, trad. Guillermo Solana, Madrid, Alianza, 2006, p. 634.

La ficción, con su carácter heurístico y productivo, no es la realidad alternativa que viene a cubrir el mundo con su manto de tinieblas, instaurando, como decía Hegel en la *Fenomenología del espíritu*, una noche «en la que todos los gatos son pardos». La postverdad no es más que la figura emergente de una pseudoficción impotente, ajena a la verdad. La imaginación, lejos de la pérdida de mundo que implica la indiferencia ante lo verdadero, no tolera la debilidad de lo verdadero, y acepta aún menos su abandono. Pues «la fuerza de lo verdadero» no es sólo, como pensaba Michel Foucault, la de «los lazos mediante los cuales las personas mismas se encadenan poco a poco en y por las manifestaciones de la verdad»,[1] sino sobre todo el excedente de sentido de la experiencia viva, la capacidad de alterar lo real para transformarlo. En otras palabras, ésa es la condición para que el mundo sea habitable y no se convierta en un desierto al que estaríamos condenados a adaptarnos. En un fragmento póstumo de 1888, Nietzsche escribió: «Lo que puede ser pensado sin duda tiene que ser una ficción».[2] Cierto, pero no una ficción cualquiera.

[1] Véase Michel Foucault, *Du gouvernement des vivants*, *op. cit.*, pp. 98-99 [*Del gobierno de los vivos. Curso en el Collège de France (1979-1980)*, trad. Horacio Pons, Buenos Aires, FCE, 2014, p. 124].

[2] Friedrich Nietzsche, *Nihilismo. Fragmentos póstumos*, trad. Gonçal Mayos, Barcelona, Península, 2006, p. 53. (*N. del T.*).

ESTA EDICIÓN, PRIMERA, DE
«LA DEBILIDAD DE LO VERDADERO», DE
MYRIAM REVAULT D'ALLONNES, SE TERMINÓ
DE IMPRIMIR EN CAPELLADES
EN EL MES DE MAYO
DEL AÑO
2026

Colección El Acantilado
Últimos títulos

464. JOSÉ MARÍA MICÓ *De Dante a Borges. Páginas sobre clásicos* (2 ediciones)
465. FRANK DIKÖTTER *Dictadores. El culto a la personalidad en el siglo XX* (2 ediciones)
466. BERND BRUNNER *La invención del norte. Historia de un punto cardinal*
467. GUNTHER SCHULLER *Los comienzos del jazz. Sus raíces y desarrollo musical*
468. FRANCESCO PETRARCA *Epistolario. Cartas familiares; Cartas de senectud; Cartas sin nombre; Cartas dispersas*
469. MARC FUMAROLI *«Mundus muliebris». Élisabeth Louise Vigée Le Brun, pintora del Antiguo Régimen femenino*
470. FRANZ KAFKA *«Tú eres la tarea». Aforismos* (2 ediciones)
471. VOLKER SPIERLING *«Nada es más asombroso que el hombre». Una historia de la ética desde Sócrates hasta Adorno* (2 ediciones)
472. MIGUEL ÁNGEL MARÍN *El «Réquiem» de Mozart. Una historia cultural* (2 ediciones)
473. MARÍA BELMONTE *El murmullo del agua. Fuentes, jardines y divinidades acuáticas* (4 ediciones)
474. JOSEP MARIA ESQUIROL *La escuela del alma. De la forma de educar a la manera de vivir* (4 ediciones)
475. BERND BRUNNER *Vivir en horizontal. Breve historia cultural de una postura*
476. MYRIAM MOSCONA *León de Lidia*
477. ANTONIO MONEGAL *El silencio de la guerra*
478. KARL SCHLÖGEL *El aroma de los imperios. Chanel Nº 5 y Moscú Rojo* (3 ediciones)
479. MAURICIO WIESENTHAL *Las reinas del mar. Memorias de una vida aventurera* (2 ediciones)

480. PAOLO PRODI *Séptimo: no robarás. Hurto y mercado en la historia de Occidente*
481. CHARLOTTE VAN DEN BROECK *Saltos mortales*
482. ALAIN CORBIN *«Terra incognita». Una historia de la ignorancia (siglos XVIII-XIX)*
483. STEFAN ZWEIG & ROMAIN ROLLAND *De un mundo a otro mundo. Correspondencia (1910-1918)*
484. ARNOLD SCHÖNBERG *Diario de Berlín. Y «Homenaje a Schönberg» de Josef Rufer*
485. RAMÓN ANDRÉS *Despacio el mundo* (2 ediciones)
486. MIGUEL ÁNGEL HERNÁNDEZ *Yo estoy en la imagen. Ensayos afectivos y ficciones críticas* (2 ediciones)
487. PIERRE BOULEZ *El país fértil. Paul Klee*
488. ALEXANDRA WILSON *El «problema» Puccini. Ópera, nacionalismo y modernidad*
489. *«Querido Maestro». Correspondencia de Pau Casals (1893-1973)*
490. TORQUATO TASSO *Jerusalén liberada*
491. LUIS FERNANDO MORENO CLAROS *Arthur Schopenhauer. Una biografía* (2 ediciones)
492. JUAN ANTONIO MASOLIVER RÓDENAS *En el jardín del poema*
493. MANUEL ASTUR *El fruto siempre verde*
494. *Rafael Argullol: caminar, pensar, escribir* (2 ediciones)
495. JEAN-YVES JOUANNAIS *Las barreras de arena. Tratado de castillología costera*
496. *Los Wittgenstein, una familia en cartas*
497. GEORG VON WALLWITZ *«Caballeros, esto no es una casa de baños». Cómo un matemático cambió el siglo XX* (2 ediciones)
498. PAUL CÉZANNE & ÉMILE ZOLA *Cartas cruzadas (1858-1887)*
499. VÍCTOR GÓMEZ PIN *El ser que cuenta. La disputa sobre la singularidad humana*
500. CHRISTOPH WOLFF *El universo musical de Bach. El compositor y su obra* (2 ediciones)
501. FRANK DIKÖTTER *La Revolución Cultural. Una historia popular (1962-1976)*
502. TEJU COLE *Papel negro. Escribir en tiempos de oscuridad*

503. ANTOINE COMPAGNON *Con la vida por detrás. Fines de la literatura* (2 ediciones)
504. YANNIS RITSOS *Perséfone* (2 ediciones)
505. ADAN KOVACSICS *Acaece, sin embargo, lo verdadero*
506. GEMINELLO ALVI *Excéntricos*
507. DOMINIC LIEVEN *Rusia contra Napoleón. La batalla por Europa (1807-1814)* (2 ediciones)
508. IAN BOSTRIDGE *Pensar y cantar. Reflexiones de un cantante sobre música e interpretación*
509. MARCUS DU SAUTOY *La vuelta al mundo en ochenta juegos. Un matemático desvela los secretos de los mejores juegos*
510. RICHARD ZENITH *Pessoa. Una biografía*
511. PIERRE BONCENNE *El paraguas de Simon Leys*
512. H. LEYVIK *En las kátorgas del zar*
513. ERICH AUERBACH *La cicatriz de Ulises. Horizontes de la literatura universal*
514. LUCIO PICCOLO *Cantos barrocos y otros poemas*
515. JUAN MALPARTIDA *El mundo como ensayo*
516. SILVIA BARDELÁS *Una conciencia nueva. La urgente pregunta de quiénes somos*
517. RICHARD STOKES *Las canciones completas de Hugo Wolf. Vida, cartas, «Lieder»*
518. ANTONIO MONEGAL *La sombra del padre*
519. ADAM ZAGAJEWSKI *Poesía para principiantes*
520. ALAIN CORBIN & HERVÉ MAZUREL *Historia de las sensibilidades*
521. EFRÉN GIRALDO *Sumario de plantas oficiosas. Un ensayo sobre la memoria de la flora*
522. EDUARDO PRIETO *Los lugares de Petrarca. Sobre naturaleza y soledad*
523. ALEXANDER PECHMANN *La biblioteca de los siete mares. Una travesía con Odiseo, Robinson Crusoe y los capitanes de Jane Austen por el océano de la literatura*
524. FRIEDRICH NIETZSCHE *Schopenhauer como educador. Tercera consideración intempestiva (1874)*